MICHEL BRÛLÉ
4703, rue Saint-Denis
Montréal, Québec H2J 2L5
Téléphone: 514 680-8905
Télécopieur: 514 680-8906
www.michelbrule.com

Maquette de la couverture et mise en pages: Jimmy Gagné, Studio C1C4
Photo de la couverture: © Shutterstock
Révision: Élyse-Andrée Héroux, Anne Masson
Correction: Jacinthe Boivin-Moffet

Distribution: Prologue
1650, boul. Lionel-Bertrand
Boisbriand, Québec J7H 1N7
Téléphone: 450 434-0306 / 1 800 363-2864
Télécopieur: 450 434-2627 / 1 800 361-8088

Distribution en Europe: D.N.M. (Distribution du Nouveau Monde)
30, rue Gay-Lussac
75005 Paris, France
Téléphone: 01 43 54 50 24
Télécopieur: 01 43 54 39 15
www.librairieduquebec.fr

Les éditions Michel Brûlé bénéficient du soutien financier du gouvernement du Québec – Programme de crédit d'impôt pour l'édition de livres – Gestion SODEC et sont inscrites au Programme de subvention globale du Conseil des Arts du Canada. Nous reconnaissons l'aide financière du gouvernement du Canada par l'entremise du Programme d'aide au développement de l'industrie de l'édition (PADIÉ) pour nos activités d'édition.

Dépôt légal — 2009

Bibliothèque et Archives nationales du Québec
Bibliothèque nationale du Canada
ISBN 13: 978-2-89485-442-6

À Suzanne Jean
un petit pas qu'elle
a déjà franchi
sur qui
nous comptons
pour nous aider à
franchir les derniers

Amicalement

[illegible]
28 Juillet 2016

Un petit pas pour la femme,
un grand pas pour l'humanité

Alain COGNARD

UN PETIT PAS POUR LA FEMME UN GRAND PAS POUR L'HUMANITÉ

MICHEL BRÛLÉ

À Simone Monet-Chartrand et à Michel, à Olympe de Gouges,
à Simone Veil, à Mary Wollstonecraft et à sa fille,
à Henry Morgentaler, à Janette Bertrand, à Benoîte Groult,
à Leila Shahid, aux Palestiniennes, à toutes celles et ceux qui, dans le monde, assument l'essentiel de tous les déséquilibres et de toutes les injustices. À toutes celles et à tous ceux qui les dénoncent.

À Dominique.

L'histoire des hommes est la longue succession des synonymes d'un même vocable. Y contredire est un devoir.

RENÉ CHAR

C'est le dire qui importe et non le dit.

ANDRÉ GORZ

Au lecteur

Ce livre est né d'un parti pris pour l'égalité. Tout amour est un parti pris. Je ne crois pas en la civilisation telle qu'elle est, comme bien des jeunes. Tout ce qui suit part de cela. J'ai écrit ce livre malgré les protestations de ma conjointe et de tant d'autres femmes qui croyaient que l'égalité entre les femmes et les hommes était faite, disaient-elles, « au moins à 80 % ». Je m'adresse aux pays développés qui toisent les autres et veulent leur imposer une modernité qui n'a modernisé que l'inégalité. Tout au long de la rédaction de ce pamphlet, je me suis demandé comment il fallait faire pour corriger tous les préjugés reliés aux mots du progrès : égalité, parité, différence, démocratie, pouvoir, temps. J'ai longtemps cherché des titres pour attirer l'attention du lecteur, pour éviter qu'il se dise : « Encore un livre sur les femmes ! », pour qu'il regagne le doute et l'interrogation des Scandinaves qui demeurent, pour leur part, profondément insatisfaits de progrès qui font l'admiration des autres. Parmi eux, les Suédois n'hésitent pas à remettre en question les identités masculine et féminine comme empêchements à l'égalité, et sont en train de jeter les bases d'une véritable pensée planétaire que partagent plusieurs autres philosophes[1]. J'ai aussi interviewé de nombreuses femmes pour comprendre les mécanismes de leurs relations inégalitaires.

Sur l'égalité, tout a été écrit. Peu a été fait. Ce que je me propose ici, c'est de tenter de comprendre les raisons pour lesquelles la réalité continue toujours de fuir devant les bonnes intentions, et pourquoi les sociétés humaines se privent d'un extraordinaire progrès annoncé, celui de l'entière égalité des citoyens, à commencer par l'égalité entre les femmes et les hommes, entre les deux moitiés de l'humanité, un combat contre le père de tous les racismes.

---

1. Jacquard, Albert, *Construire une civilisation terrienne*, Montréal, Fides, 1994.

Introduction

Notre propos n'est pas de réécrire l'histoire de l'asservissement et de la libération des femmes – d'autres auteurs le font régulièrement et brillamment –, mais d'essayer de comprendre pourquoi, au XXIe siècle, malgré les conquêtes, malgré les lois et les mesures incitatives, l'égalité ne s'est encore installée dans aucun pays au monde.

L'égalité entre les femmes et les hommes est un véritable défi démocratique. Au moment où l'Occident entreprend des guerres à vocation « civilisatrice », avec l'ambition d'élever le reste du monde à son niveau, la moitié de sa propre population n'a toujours pas trouvé la place qui lui reviendrait de droit si l'on appliquait la théorie démocratique dans ce qu'elle a de plus fondamental.

Nous voulons conserver, tout au long de ce livre, un principe, un postulat de départ : le concept d'égalité est indivisible. Dans nombre de recherches et dans toutes les mesures qui sont prises par les gouvernements, ce concept est découpé, divisé. Or, les droits civils, les comportements, la violence, les disparités salariales, le plafond de verre, sont autant de manifestations d'un seul et même problème : celui de la domination masculine.

Cette domination se traduit dès l'enfance, pour les femmes, par une sorte de crainte existentielle semblable à la matière sombre qui traîne dans l'univers entre les galaxies, indétectable, mais toujours présente.

Les femmes ont peur, peur des lieux déserts, peur des hommes, peur de se retrouver en situation de vulnérabilité physique. La violence est un phénomène omniprésent et déterminant qui pollue nos sociétés. Cette considération pourrait nous amener à penser que la force physique constitue le principal obstacle à l'égalité, au moins autant que la confiscation par les hommes du contrôle de la reproduction de l'espèce, explication vers laquelle les anthropologues penchent plutôt. Les deux thèses ne sont d'ailleurs pas incompatibles : si les hommes étaient individuellement moins forts physiquement, leur pouvoir serait sans doute réduit. Mais les femmes conserveraient sans doute cette culpabilité millénaire de ne pas jouer le rôle auquel on les a toujours confinées.

L'égalité est avant tout un principe, un formidable engagement humanitaire, un pilier de l'évolution des sociétés modernes. C'est aussi la fin du mythe selon lequel seules les femmes peuvent s'occuper des enfants. Il faut donc que nos sociétés exercent une veille constante et consacrent une énergie colossale à promouvoir cette égalité et à en assurer l'immutabilité. C'est une question de justice. Là où certains parlent encore d'aide sociale, d'allocations pour les mères au foyer, de filet social, de protection étatique, autant de manières « d'alléger » une tâche que l'on considère toujours comme féminine, il faut maintenant parler d'un projet de société cohérent auquel hommes et femmes participent. Nous sommes à l'aube d'une véritable révolution démocratique et sociale, des philosophes visionnaires nous le confirment[2]. L'écologie et toute l'idée de survie planétaire y sont subordonnées.

---

2. Ferry, Luc, Elisabeth Badinter, Théodore Monod et André Comte Sponville, *Nouvelles Clés*, n°58, été 2008.

Première partie :
L'égalité, une nouvelle réalité

Trois milliards d'injustices

Il y a, à peu près, trois milliards et demi de femmes dans le monde. Elles fabriquent tous les enfants de la planète. Comme dans l'ensemble du règne animal, ce sont elles qui accomplissent l'essentiel du travail de création et de renouvellement de la population, et nous leur avons confié, en plus, celui de mener les enfants à l'âge adulte. Mais pour une raison que nous ne voulons pas connaître parce qu'elle est un vestige de notre évolution, une fatalité selon la définition de Baudelaire[3] –, ce sont les mâles qui détiennent le pouvoir. Ils dominent. Ce qui semble une constante dans la nature laissée à l'état libre, avec cependant beaucoup d'exceptions, constitue maintenant un héritage désuet, défavorable même au développement harmonieux et contrôlé de l'espèce humaine, une espèce dont la capacité de prédation a dépassé les limites de l'acceptable. Une espèce maintenant responsable de sa planète. Un mot à ce propos : l'historien Jules Michelet (1798-1874) liait le progrès humain à une guerre contre la nature, alors qu'aujourd'hui le progrès consiste plutôt à comprendre et respecter la puissance de sa complexité.

LA NATURE

Les Grecs se référaient à leur compréhension de la nature pour définir les principes de vie. L'homme dirigeait la femme, sauf dans « son activité propre » : là, elle détenait un pouvoir. La relation de domination était permanente, contrairement à la relation de domination entre les gouvernants et les gouvernés, qui était provisoire puisque chacun devenait tour à tour gouvernant et gouverné. Pour les Grecs, les femmes étaient inaptes à contrôler leurs pulsions, au point que l'on disait des hommes qui ne savaient pas se maîtriser qu'ils étaient efféminés et donc inférieurs. Elles ne pouvaient non plus bénéficier, comme les esclaves, du privilège très masculin de s'affranchir.
Pour Michel Foucault, les sociétés d'aujourd'hui sont encore fortement influencées par cette pensée, le christianisme l'ayant adoptée presque intégralement.

---

3. « Le mal se fait sans effort, naturellement, par fatalité ; le bien est toujours le produit d'un art. » Beaudelaire, Charles, *Curiosités esthétiques*, Paris, M. Lévy Frères, 1868.

La démocratie, cette prise de contrôle de notre devenir, est avant tout un pari, plus sincèrement dirions-nous, l'engagement de l'espèce humaine de vivre selon des habitudes différentes de celles dont nous avons hérité par la tradition animale[4], le choix d'échapper aux trop cruelles lois de la jungle, à la violence, aux guerres, aux difficultés de toutes sortes, à la misère. Nous n'avons plus d'ennemis naturels ni de maîtres que nous-mêmes.

C'est dire l'importance que nous devons accorder à l'entière égalité entre les femmes et les hommes puisqu'elle garantit en quelque sorte l'émancipation de l'espèce humaine. Point de démocratie planétaire dans l'esclavage, point de libération des hommes sans les femmes. Cette liberté doit être universelle ; elle ne peut être une liberté de nantis.

Nous rêvons d'une société qui ne met pas en péril nos semblables, qui n'éradique pas les animaux ni les plantes, ni ne détruit la Terre. À l'heure de la mondialisation, c'est la globalisation du concept humain qu'il faut revoir : il devient de plus en plus difficile de ne pas lier le combat écologique aux combats pour les libertés des peuples et des individus. Aucun ne se fera sans les autres.

À ce jour, nous ne sommes pas loin de l'échec. Comme le disait en substance l'humoriste français Guy Bedos : « Moi qui ai lutté toute ma vie contre l'injustice, c'est pire que jamais. Oui, ma vie est un échec. »

Quarante ans après le Summer of love de San Francisco et les événements de Mai 1968, encore bien peu de femmes ont accès aux plus hauts postes. Parmi 150 millions de femmes américaines, les électeurs n'ont jamais réussi à en élire une seule à la présidence. En France, en 2007, la population impose Ségolène Royal à son propre parti qui fait tout pour la déloger. Partout, beaucoup de conseillères municipales, peu de mairesses. Où est la légitimité du pouvoir ?

Là où certains voient un progrès, nous ne voyons plutôt que batailles au corps à corps et brèches vite colmatées. Les sociologues, particulièrement des femmes, font preuve d'un optimisme tout à leur honneur, mais que nous sommes loin de partager. Les acquis, les victoires, le travail, le bonheur d'élever ses enfants au foyer n'appartiennent qu'à une partie de la population. L'autre partie reste à

---

4. French, Marilyn, *La guerre contre les femmes*, L'Archipel, Paris, 1992. L'auteur croit plutôt que nous allons dans l'autre direction, partis de l'homme des cavernes pour aller vers une violence extrême contre les femmes.

la maison faute d'avoir assez d'argent pour payer la garderie et espère trouver, dans cette fatalité de l'impotence, le moyen de faire sortir ses enfants d'une misère imposée.

Dans beaucoup d'autres pays, la situation est évidemment plus dramatique, mais ce n'est pas notre propos. S'il faut que la notion d'égalité se répande dans le monde, il faut bien qu'elle commence quelque part.

La question est de savoir pourquoi, malgré les lois, malgré les luttes féministes, malgré l'éducation, les femmes et leurs enfants assument l'essentiel de la misère du monde et pourquoi elles constituent, jusque dans nos contrées, le groupe humain le plus ségrégué, le plus maltraité.

La discrimination envers les femmes n'est pas une discrimination ordinaire mais c'est la plus généralisée. C'est une domination *de facto* d'une moitié de tous les êtres humains sur l'autre, sans distinction de race ou de culture. Entre les pays dits civilisés et les autres, il n'existe qu'une différence de degré, importante, mais qui ne touche pas à l'essentiel du problème : celui du pouvoir et de la place des humains sur terre.

On comprend dès lors que tout ce qui relègue les femmes à un rang quelque peu inférieur, particulièrement les religions et les cultures, y compris les nôtres, perpétue cette paralysie du progrès humain. Loin d'être un objet de décadence, comme les grandes religions nous l'ont soufflé[5], les femmes restent un immense espoir de progrès parce que les mécanismes de leur libération s'appliquent, dans la foulée, à toutes les autres discriminations.

Égalité et démocratie : les concepts en jeu

L'égalité est un principe inscrit dans la Constitution de la plupart des nations ou qui a été reconnu lorsque ces pays ont adhéré à la *Déclaration des droits de l'homme* de 1948[6]. L'idée a été traitée par

---

5. « Tu es béni, ô Dieu, roi de l'univers, que je ne sois pas né femme. » Prière du matin des juifs orthodoxes.
   « Les hommes sont supérieurs aux femmes quant aux qualités pour lesquelles Dieu leur a accordé la prééminence. » R. Greenslass, Esther, *A world of Difference : Gender roles in perspective*, Toronto, John Wiley and sons, 1982.
6. Record Guinness du document le plus traduit.

Jean-Jacques Rousseau[7] et reprise par les révolutionnaires de 1789 comme l'un des principes fondateurs d'une nouvelle société humaine. Quelques jours avant sa Révolution, la France était dirigée par un roi dont la légitimité et les « valeurs » étaient d'essence divine, disons plutôt religieuse... Quelques jours plus tard, l'espèce humaine est devenue responsable de sa propre misère, de ses guerres, de ses progrès et de la santé de la planète, ne laissant à Dieu que l'extinction du soleil.

Malgré cet espoir nouveau, l'euphorie qu'entraîna en 1791 la *Déclaration des droits de la femme et de la citoyenne* d'Olympe de Gouges tomba avec sa tête deux ans plus tard, en 1793.

La libération des femmes ne commencera dans l'histoire qu'après celle des esclaves. En 1848, Victor Schoelcher faisait abolir l'esclavage en France. Lincoln le fit en 1865 aux États-Unis, mais les Noirs américains n'obtinrent le droit de vote qu'en 1964, un siècle plus tard, quatre ans avant Mai 68 !

Jusqu'à aujourd'hui, les sociétés démocratiques se sont donc bâties en marge de leurs principes fondateurs : l'égalité et la liberté. La démocratie n'est pourtant que la mise en œuvre de ces deux principes, pas seulement de petits pas vers l'application de ces principes.

En novembre 2007, au Québec, lors des audiences de la commission Bouchard-Taylor, chargée de revoir l'ensemble de ce que l'on a appelé les « accommodements raisonnables » accordés à des communautés religieuses ou ethniques, l'égalité femmes-hommes ne fait même pas partie des trois préoccupations les plus importantes des participants de Montréal[8] ! La Commission aurait pu reconnaître la primauté de l'égalité entre les citoyens, particulièrement entre les femmes et les hommes, mais elle ne l'a pas fait. Pour justifier cette injustice, elle invoque ce qu'elle appelle avec certains auteurs la crainte d'une « hiérarchisation des droits fondamentaux ». Cette question est véritablement un choc de cultures.

Comme le souligne le Conseil du statut de la femme, l'exercice des libertés fondamentales, entre autres la liberté de religion, ne serait

7. Rousseau, Jean-Jacques, *Discours sur l'origine et les fondements de l'inégalité parmi les hommes*, 1755.

8. « Réaction du Conseil du statut de la femme au rapport de la commission Bouchard-Taylor : l'égalité entre les femmes et les hommes mise entre parenthèses. » Conseil du statut de la femme, 23 mai 2008, http ://www.csf.gouv.qc.ca/fr/communiques/ ?F=affiche&id=277

alors plus balisé par le principe de l'égalité et autoriserait en quelque sorte les discriminations religieuses ou culturelles habituelles et donc celles envers les femmes. En adoptant ce point de vue, ce n'est plus seulement le droit de pratiquer une religion qui est protégé, mais celui d'interpréter les lois à l'encontre des principes fondateurs des Constitutions modernes : liberté et égalité entre les citoyens.

Interdire la discrimination en raison de la religion ou du sexe et appliquer le principe d'égalité, ce n'est en effet pas la même chose. Dans ce dernier cas, on garantit la pleine participation des femmes à la vie politique, comme à tout autre citoyen, malgré la liberté de religion : nos sociétés sont laïques et la religion doit rester au vestiaire. Le même raisonnement s'applique aux autres libertés fondamentales : les homosexuels – gays ou lesbiennes – n'ont aucun autre droit que celui de ne pas subir de discrimination, certainement pas celui de modifier l'application du principe de liberté. Et si, justement, le droit d'adopter leur est rendu, ce n'est pas parce qu'ils sont homosexuels, mais bien parce qu'ils sont avant tout des citoyens libres et égaux.

En fait, la crainte de la hiérarchisation des droits est liée à la théorie du multiculturalisme, qui divise le monde en « groupes », et qui pourrait tenir en ces mots : « Il est difficile de concevoir que l'atteinte au droit à l'égalité des femmes et des hommes doive avoir un statut privilégié par rapport aux droits des autres groupes vulnérables[9]. »

Or, les femmes ne constituent pas un groupe au même titre que les immigrants ou les homosexuels, elles sont l'humanité, comme les hommes. En réduisant les femmes à un groupe demandeur de droits, nous passons à côté de l'essentiel : reconnaître que les femmes détiennent le droit sacré, naturel de participer pleinement à la construction de la société, à côté des hommes, ce que les autres « groupes » ne peuvent revendiquer en tant que groupe. Les droits de ces derniers se limitent à une protection contre la discrimination. Une protection qui n'est pas accordée aux femmes lorsqu'on s'abstient d'empêcher, à Montréal comme à Paris, l'excision et – ridicule compromis – l'accouchement par césarienne pour ne pas détruire la mutilante infibulation[10].

---

9. Filion, Nicole, « La suprématie du droit à l'égalité des femmes : une solution », Le Devoir, Montréal, 30 octobre 2007.
10. Daniel, Baril, « Contrer l'excision sans imposer ses vues », *Forum*, vol. 40, n°28, 18 avril 2006, http ://www.iforum.umontreal.ca/Forum/2005-2006/20060418/R_1.

Nous pourrions dire aussi que les droits fondamentaux découlent des concepts de liberté et d'égalité. C'est précisément dans leur opposition que le problème se pose : peut-on accepter que les droits religieux ou les autres droits « fondamentaux » puissent compromettre le droit à l'égalité ? Cette opposition est reconnue au point où des conventions entre les pays viennent délimiter la portée de chaque droit et réaffirmer… la primauté de l'égalité !

FLOU ARTISTIQUE

Si le Canada a signé *la Déclaration universelle des droits de l'Homme*, sa Constitution (Charte canadienne des droits et libertés) est plutôt floue (suprématie de Dieu et primauté du droit !) sur la définition du principe d'égalité. Les révolutionnaires de 1789 auraient dû dire que l'espèce humaine comprenait deux genres, ce qui aurait établi dès le départ que les femmes étaient des citoyennes qui bénéficiaient des mêmes droits que les hommes et nous aurait fait gagner 220 ans. Quand on disait à Talleyrand qu'« il va sans dire », il répondait toujours que « cela va mieux en le disant ».

Le danger, nous le vivons : c'est qu'à chaque occasion, à chaque détour de la pensée, les femmes se retrouvent confrontées à des conflits de valeurs qui remettent en question leurs acquis les plus fondamentaux. Un exemple : en promulguant une loi pour criminaliser séparément le meurtre d'un fœtus sauf en cas d'avortement légal, il suffit à la poursuite d'établir que le délai pour l'IVG était dépassé pour qu'un avortement devienne un assassinat. C'est bien remettre en question le principe même du droit des femmes à disposer de leur corps.

L'égalité est une nécessité. Elle s'oppose aux idées de domination, de supériorité. Elle est en harmonie avec l'idée de bonheur, le moteur par essence de l'action humaine[11], qui est à la base de la réunion en société des êtres humains. Que cela bouleverse nos sociétés est une évidence.

Au XXe siècle, nous avons voulu établir de nouvelles règles de vie pour sortir des crises de gestion et des guerres. Certains philosophes croient même que « la » démocratie est une forme de gouvernement

11. « Le but de la société est le bonheur commun », article premier de la *Déclaration des droits de l'homme* de 1793, qui complète celle de 1789.

finie, achevée : un gouvernement de représentation, par des politiciens de métier représentant la population qui les a élus.

Selon la plupart des gouvernants, dans une démocratie, le peuple a non seulement délégué son pouvoir en votant, mais il a aussi renoncé à sa légitimité propre[12]. Ses revendications, manifestations, pétitions, humbles demandes, n'ont de valeur que lorsqu'elles sont acceptées et relayées par le pouvoir. Son droit d'expression est réduit au minimum jusqu'à la prochaine élection.

Lorsque le pouvoir n'adhère pas à ses demandes, il les néglige tout simplement, quand il ne fabrique pas lui-même l'argumentaire propre à faire changer l'opinion : armes de destruction massive ou « impossibilité financière » de réaliser, par exemple, l'égalité.

De nombreux politiciens pensent ainsi, et c'est ce qui explique l'opposition de la classe politique à une véritable avancée démocratique qui consisterait à redonner au peuple les pouvoirs qu'il peut exercer plutôt que de les lui confisquer un à un. Le mouvement féministe va à l'encontre de cette idée. Il revendique l'entrée des femmes dans la société et donc une démocratie différente qui prend ses racines dans une réalité plus concrète.

Comment rendre justice aux femmes le plus simplement ? Le Barreau du Québec voudrait « réactualiser » la *Charte des droits*. En Europe, on parle plutôt de « droit opposable » (l'État doit rétablir l'égalité des chances en fournissant immédiatement logement, crèche, assistance, cours de rattrapage). La Suède favorise des institutions qui peuvent agir directement auprès des « délinquants », un bras exécutif de droits constitutionnels qui ne s'appliquent pas qu'aux femmes, mais qui s'appliquent à elles !

Dans le système démocratique actuel de représentation, les femmes ont besoin d'un ministre de la Condition féminine, preuve, s'il en est, de discrimination. Il n'y a pas de ministre de la Condition masculine. Et pourquoi diable faut-il représenter les femmes ? Parce qu'elles ne le sont pas ?

Le mouvement vers l'égalité est dynamique, évolutif, nécessairement inclusif. Puisqu'il porte le nom d'égalité, il porte en lui tous les changements que l'on peut imaginer : égalité entre tous les citoyens,

---

12. Chaque jour en apporte la preuve : le non au référendum irlandais sur l'Europe, le « mini-traité » européen, l'opposition à la guerre en Irak etc.

égalité, dans les droits, avec les enfants. Pourquoi ? Parce que les femmes n'entrent pas en politique les mains vides : elles amènent des idées et des principes qu'elles peaufinent depuis des lustres. Cette mouvance tend à s'éloigner de la démocratie de représentation pour agrandir son assise. Elle prend sa force dans la différence, dans la diversité des idées, alors que le système de représentation prend la sienne dans la majorité. Une majorité par ailleurs très contestable puisqu'elle ne parvient que rarement à atteindre 50 % de la population, et souvent beaucoup moins quand le nombre combiné des perdants et des abstentions est plus élevé que le nombre des gagnants.

TRADITION OU PROGRÈS ?

Au Japon, 70 % des femmes quittent leur emploi après la naissance de leur premier enfant. La moitié des mariages sont arrangés. Le Japonais Fujiwara Masahiko, auteur de *La dignité de la nation*, un livre vendu à 2 millions d'exemplaires en 2006, prétend que le Japon sauvera le monde en revenant à ses valeurs ancestrales et en refusant les notions « occidentales » de liberté et d'égalité[13]. D'essence nationaliste et élitiste, cet ouvrage répond bien à une volonté de reprise en main du pays plus de 50 ans après l'imposition d'une constitution dictée par les Américains, montre que les équilibres culturels au sein des nations sont nécessaires et fragiles et que leur remplacement ne peut se faire qu'avec un effort social à la mesure des changements souhaités. À ce titre, il est dans le droit fil de la montée des religions comme rempart à des démocraties qui manquent de sincérité dans l'application de leurs grands principes.

Cela nous porte à croire que l'implication des femmes changera les habitudes politiques et, donc, redéfinira la démocratie. L'activité et la politique des femmes touchent en effet un univers infiniment plus étendu que celui de nos sociétés actuelles, concentrées sur le travail et le revenu plutôt que sur leur finalité. L'égalité, comme pratique d'un principe constitutionnel, amènera un réaménagement des tâches et des responsabilités, des changements auxquels les sociétés se sont opposées jusqu'à maintenant.

13. « Société : le Japon décrypté sans clichés », *TGV magazine*, n° 106, juillet-août 2008 et JIM FREDERICK, « Le Japon qui dit non », Time, 19 juin 2006.

La décision de confier ses enfants à des éducateurs dès l'âge d'un an, la continuité des carrières féminines au sein de l'entreprise malgré les grossesses, l'implication des pères dans le couple et dans la société, tout cela exige des instances décisionnelles beaucoup plus près du peuple que celles qui encadrent le système actuel de représentation.

Aucun politicien ne peut définir seul ce qu'il faut faire pour parvenir à réaliser les changements nécessaires. Mais les idées de la rue ne montent pas jusqu'au pouvoir. C'est pourtant au pouvoir de descendre là où la vie se passe et, ce changement-là, c'est justement celui que les femmes sont en train d'introduire : plus d'écoute, plus de démocratie, plus d'expression de la base. Nous n'avons pas encore vraiment assisté à l'entrée des femmes dans la sphère démocratique. Lorsque cela se fera, la démocratie évoluera de manière radicale. C'est ce que nous attendons de la révolution des femmes. Mais que cela ne nous fasse pas oublier l'essentiel : l'égalité, sans condition d'un quelconque bénéfice, parce que c'est notre engagement commun.

Qu'est-ce que l'égalité entre les femmes et les hommes ?

L'égalité des genres, c'est la reconnaissance de droits égaux chez les hommes et les femmes, mais pas seulement cela. Cette reconnaissance est inscrite depuis bien longtemps dans les textes. L'égalité, c'est d'abord le droit de déterminer d'une manière paritaire le développement de la société. L'égalité qui doit enfin se concrétiser, ce n'est pas seulement le droit de se plaindre devant les tribunaux de discriminations quotidiennes, c'est plutôt l'obligation de l'État de traduire dans les faits, dans la pratique quotidienne, dans les attitudes, dans les décisions politiques, dans le fonctionnement des institutions, cette simple exigence constitutionnelle et humaine. L'État dispose de moyens : il octroie des contrats, des subventions et peut, lorsqu'il le fait, s'assurer que les bénéficiaires démontrent qu'ils respectent les droits (en l'occurrence ceux des femmes) au quotidien. L'État doit s'impliquer dans ce contrôle et prendre parti pour l'égalité. Il doit donc reconnaître la compétence égale des hommes et des femmes et refuser les arguments qui pourraient justifier les discriminations ou les déséquilibres constatés.

Un exemple : il n'existe aucune raison de penser que les femmes sont moins ambitieuses que les hommes… et que, pour cette raison, elles occupent moins de postes de haute direction. C'est un discours pourtant très répandu... Qu'il va bien falloir changer. Nous serons égaux quand nous ne penserons plus de telles choses.

Il ne s'agit pas non plus d'opposer le droit des femmes au droit des hommes, ce qui ferait de ce mouvement de libération une simple démarche communautaire, une idée bizarre parfois développée en Amérique du Nord. Bien au contraire, l'essence du mouvement féministe est de refonder la société avec les hommes, non pas contre.

Nous sommes loin de l'égalité. Des applications féminines des droits fondamentaux, tel que l'avortement, sont toujours contestées politiquement dans les pays développés. En 2008, au Canada, en France, aux États-Unis, en Italie, des lois sont proposées ou votées pour donner une certaine existence légale au fœtus, alors que les lois sur l'avortement reconnaissent timidement aux femmes le droit de décider de l'usage de leur propre corps.

Le droit à l'avortement, qui a été reconnu comme un droit inaliénable basé sur des assises philosophiques, humaines, légales, tend à être considéré aujourd'hui par les États comme un passe-droit accordé à des femmes volages un peu cruches[14]. Au point que, déjà, nombre de citoyens ne sauraient dire si c'est l'Église, le gouvernement, les femmes ou des experts qui devraient contrôler l'avortement, parce que l'éducation politique ou citoyenne n'a pas pourvu à cette carence, voulant sans doute pérenniser la notion traditionnelle de maman et de putain.

Il serait impossible de tolérer des manifestations populaires en faveur du racisme ou de l'emprisonnement arbitraire. Mais au nom de principes religieux, nous acceptons que des gouvernants remettent en question le droit des femmes à disposer de leur corps. Ce droit-là, pourtant, est une fondation de nos sociétés laïques.

L'égalité est un concept humain, artificiel, une idée d'auberge espagnole, une idée d'enfants qui décident de jouer selon une règle de jeu qu'ils viennent d'inventer, mais cette règle, c'est la loi constitutionnelle, Liberté et Égalité, celle qui remplace la loi de la nature dans toutes nos sociétés, un concept de laïcité qui remplace aussi les projets religieux.

---

14. La question, posée par Cécile Pelletier de la revue électronique *L'Internaute*, (janvier 2008) a suscité des réactions de la part d'un nombre important de femmes : témoignages identiques qui démontrent une invraisemblable absence de compassion et de respect envers les femmes, 30 ans après la loi.

Nous sous-estimons la force et le potentiel des principes laïques. Nous voyons dans la religion une sorte de refuge pour les moins bien nantis, une éthique de vie à l'usage des masses populaires. Pour d'autres, la religion prend des airs de noblesse et devient spiritualité, s'écartant des rituels populaires. En réalité, tous les peuples peuvent instantanément accéder à une vie laïque soutenue par des principes moraux supérieurs aux principes religieux. Spiritualité n'est pas religion, elle est pensée et conscience. Il s'agit de faire confiance aux êtres humains, d'en accepter le risque. Si le modèle américain est si populaire, ce n'est pas seulement à cause du Coca-Cola, mais parce qu'il respire la liberté, parce que nous avons l'impression que les Américains sont libres. La liberté, c'est la croyance que l'être humain (tous les humains) va pouvoir s'en sortir, passer sur terre, éprouver du bonheur, se serrer auprès de ses semblables. Un rêve éveillé.

Pour soutenir cette formidable idée existe le principe naturel qui a présidé à l'existence de l'univers: la diversité. Ainsi, tout être est égal à un autre en ce qu'il participe et doit participer à l'évolution du groupe, du simple fait qu'il existe. Exclure un seul être de ce grand jeu équivaut à jouer à l'apprenti sorcier, à l'eugénisme social, à perpétuer un monde injuste et désolant. C'est ce que nous faisons avec les femmes.

Vivre dans une société égalitaire exige un renouvellement de l'engagement, le mot-clé de ce début de siècle. Un aspect capital de cet engagement, c'est, pour chacun, de s'assurer de la participation de tous.

Pourtant, lorsqu'on demande aux femmes quel est le principal problème dans leur projet de vie, la plupart d'entre elles répondent que c'est le désengagement des hommes. Ce qu'illustre bien la phrase de Jean Giraudoux: « Ô Dieu, si tu veux que jamais plus femme n'élève la voix, crée enfin un homme adulte[15] ! »

Aujourd'hui, la notion d'égalité entre les humains est une quête mondiale. Si l'on faisait un sondage planétaire, la réponse serait unanime. La télévision nous permet de vérifier, à l'autre bout de la planète, que le consensus que l'on constate ici est tout aussi présent là-bas.

Le propos est sans aucun doute naïf, mais il faut être encore plus crédule pour prononcer sans rire le mot « démocratie » quand les trois quarts de la population mondiale vivent dans une misère noire et quand

---

15. GIRAUDOUX, JEAN, *Sodome et Gomorrhe*, Paris, Bernard Grasset, 1943.

la moitié féminine se charge des deux tiers de tous les travaux pour 5 % des richesses, selon les chiffres officiels. Dans ce contexte, l'égalité n'est pas beaucoup plus qu'un immense espoir.

Pourquoi l'égalité ?

La raison d'être de nos sociétés est le bien-être ou le mieux-être, et cette vieille revendication philosophique est aujourd'hui laïque et populaire[16]. Elle n'est plus liée à la religion qui, historiquement, a toujours repoussé l'idée de bonheur sur terre et, incidemment, celle de progrès social, d'égalité. Il ne s'agit plus de prier, mais de faire.

Pour concrétiser cette quête de bonheur, il faut partager le pouvoir, partager la création et la pratique des institutions, partager équitablement les revenus et le travail. Il est question d'établir une vraie démocratie, de s'installer enfin sur terre de manière intelligente.

Nous avons l'ambition nouvelle de créer une sorte d'empire planétaire du bonheur, opposable aux autres civilisations, mais nous ne pourrons le faire qu'au prix de l'égalité et de l'équité, parce que c'est là que résident nos rêves.

Si, autrefois, les femmes n'avaient pas accès à l'éducation et ne pouvaient prétendre qu'à une égalité « potentielle », comme l'a souligné John Stuart Mill (1806-1873), aujourd'hui, il existe un consensus à l'effet qu'elles possèdent des aptitudes au moins égales à celles des hommes. Le XXIe siècle doit être porteur de cette égalité réelle.

Comment prétendre à l'égalité si nous ne donnons pas à tous les outils du développement ? Si l'on demandait à 100 millions de femmes ce qu'elles attendent de leur vie, elles répondraient toutes qu'elles veulent donner à leurs enfants une vie meilleure que la leur. Nous ne disons pas que ce n'est pas aussi le vœu des pères, mais les mères, elles, s'investissent totalement et efficacement dans cette seule quête, alors que les hommes sont plus fanatiquement voués à la conquête et à la transmission du pouvoir. Le jour où ils auront à leur tour la charge de l'enfance, ou simplement la moitié qui leur revient, ils seront peut-être plus concentrés sur l'objectif. Ce n'est pas sans raison que les familles dites monoparentales, euphémisme qui désigne des femmes et des

---

16. Ce que l'on nomme le droit naturel est basé sur ce postulat ; c'était aussi l'article premier de la *Déclaration des droits de l'homme et du citoyen* de 1793 (*Constitution de l'an 1*), qui stipulait que « le but de la société est le bonheur commun ».

enfants abandonnés, constitue un phénomène en croissance dans les pays développés[17].

Nous entendons souvent parler d'État-providence pour la Suède et le Québec, mais le terme est dérisoire. Les machines d'État scandinaves n'ont rien à voir avec la Providence. Leur engagement ne vise qu'à faire fonctionner la société, à empêcher l'exclusion et à réintégrer les individus ou les entreprises qui se sont perdues en chemin. Une société sans égalité est une société stupide, sans avenir. Les pays scandinaves jouent aussi un rôle prépondérant dans la politique mondiale au nom des mêmes principes.

Dans la plupart des pays, le pouvoir refuse simplement de mettre en place les structures nécessaires pour rétablir l'équité dans la charge de travail familiale. Les mots de ce refus sont toujours : « pas de budget, pas d'argent », comme on le répondrait à un mendiant à qui l'on ne voudrait rien donner. Le modèle nordique d'engagement de l'État est radicalement différent.

La Communauté européenne, intéressée à niveler par le haut le statut social de ses membres, estime qu'il existe deux styles ou procédés efficaces : le modèle nordique – haut taux d'emploi pour les femmes et les séniors, scolarisation et formation, redistribution des revenus, protection de l'emploi, accompagnement des personnes en difficulté, revenus élevés, et surtout, institutions, municipalités, gouvernements et syndicats présents dans tous les lieux de décision – et le modèle « libéral », où l'intervention de l'État est minimale[18]… sauf en cas de crise, celle que nous connaissons actuellement offrant un bel exemple de rattrapage en matière d'interventionnisme par les plus libéralistes !

Le modèle nordique est plus contraignant. Il exige un engagement dont le modèle libéral n'a pas besoin parce qu'il se fie aux aspirations « naturelles » des « consommateurs » pour bâtir son économie. En Europe du Nord surtout, le travail est un devoir. En Amérique, il est un besoin. Quand on demande que les citoyens âgés continuent de

17. En Suisse, il y a eu une forte augmentation du nombre de familles monoparentales entre 1970 et 2000 (deux fois plus). Dans les grandes villes, le taux de familles monoparentales comptant un enfant de moins de 16 ans avoisine les 20 %. Au Québec, ce taux est de 27 %, et dans 80 % de ces familles, le parent est une femme.

18. Lefebvre, Alain et Dominique Méda, « Performances nordiques et flexicurité : quelles relations ? », *Travail et Emploi*, n° 113, janvier-mars 2008.

travailler, c'est, dans un cas, pour continuer de partager la construction du pays, dans l'autre, pour renflouer les finances de l'État.

Les deux modèles fonctionnent, mais le modèle nordique assure à l'ensemble de ses citoyens des revenus plus élevés et le nombre de pauvres y est beaucoup plus faible que dans le modèle libéral.

Il est alors difficile de comprendre comment des gouvernements qui recherchent la productivité de leurs concitoyens s'entêtent à confiner la moitié de leur population active dans un rôle inefficace et générateur de pauvreté[19], alors que les moyens de redressement sont connus et testés. La crise américaine de 2008 illustre bien les failles du « laisser faire » : en octobre de la même année, la Maison Blanche vient de financer sans le savoir, comme Monsieur Jourdain, une « refondation » du capitalisme improvisée et extrêmement coûteuse… Pourquoi l'égalité ? Parce que sans elle, la vie en société est misérable.

Redéfinir l'égalité

Jusqu'à maintenant, l'égalité recouvrait un simple concept légal, une sorte de garantie contre la discrimination que les citoyens pouvaient, à l'occasion, invoquer devant les tribunaux. Encore aujourd'hui, les femmes font voter de nouvelles lois pour obtenir la parité dans des secteurs spécifiques : fonction publique, sports… comme si l'énoncé constitutionnel ne suffisait pas.

Une première approche a consisté à faire entrer les femmes dans les domaines d'activité où elles n'étaient pas représentées en les « soulageant des tâches que la nature leur avait données » grâce à de l'aide financière, des déductions fiscales ou des places en garderie.

C'est le moyen de répondre « au coup par coup » aux problèmes de discrimination et de pauvreté réels qui minent l'ensemble des activités de nos sociétés. C'est aussi un moyen politique de rétablir un certain équilibre social, mais ce n'est pas tout à fait l'égalité…

Le concept même d'égalité parfaite entre les femmes et les hommes est contesté. Beaucoup invoquent des raisons « biologiques ».

Dans la nature, l'égalité des genres n'est pas la règle. De là, il est plutôt facile de conclure que la loi de la jungle est « naturelle » et que les évolutions humaines ne le sont pas. Ce serait le cas de la

19. Voir les statistiques pour le Québec et le Canada dans les ressources Internet (bibliographie).

reconnaissance des droits des femmes, ainsi que de ceux des homosexuels, des handicapés…

Les prémisses sont fausses. Tout est dans la nature : l'égalité, la coexistence pacifique chez les bonobos, l'entraide chez les dauphins, l'amour et la peine chez les gorilles, démontrés récemment, la cruauté mâle ou femelle, l'homosexualité ou la luxure. Il n'y a pas dix ans, les scientifiques qui ont publié ces découvertes auraient été accusés d'anthropomorphisme. Aujourd'hui, nous pouvons concevoir l'idée d'un monde égalitaire et nous sommes à peu près certains de trouver une espèce animale qui l'a mise en pratique. Dans la nature, si souvent invoquée, tout est possible, et l'espoir réside là, dans cette diversité et dans cette égalité entre individus différents.

L'égalité n'a de toute façon pas besoin de justification « naturelle ». En premier lieu parce que la recherche de l'égalité entre femmes et hommes n'est pas un caprice, c'est une nécessité. Et une évidence.

Au XXIe siècle, dans un monde « globalisé », les concepts qui ont été à la base des sociétés modernes sont plus que jamais imbriqués, liés les uns aux autres. Il n'y aura plus de progrès (de débloquage…) démocratique sans égalité, ni sans débat, ni sans la participation de l'ensemble des citoyens.

L'égalité prend donc un sens nouveau dans cette quête démocratique effrénée, probablement accélérée par le spectre de la destruction de la planète que laisse prévoir la course mondiale à la richesse matérielle.

À l'échelle du monde, l'avenir sera essentiellement consensuel et démocratique, à la fois débattu et accepté, plutôt que défini par des experts en politique ou en religion. Qu'il s'agisse de pollution, de technologie, d'armement, de transferts de population, de démographie, plus rien ne pourra se faire où que ce soit sans que s'ensuivent des conséquences énormes pour le reste de la terre. La fameuse image du papillon qui provoque un ouragan en battant de l'aile a vieilli. Ce qu'il faut désormais craindre, c'est le nuage atomique, la crise alimentaire ou sanitaire quelque part sur terre. Il faudra plus que de l'aide humanitaire. Il est donc devenu nécessaire de redéfinir l'égalité en fonction de l'idée de progrès, de parvenir à vivre dans un monde meilleur où chacun a sa place et accepte de jouer un rôle dans l'organisation humaine. Il faut que chacun retrouve cette conscience de jouer un rôle, si essentielle à la vie démocratique.

Les premières crises du XXIe siècle sont essentiellement causées par le désengagement, par la corruption, par le détournement du travail, de l'effort commun. La crise financière actuelle en est un exemple.

Les mouvements féministes reviennent au centre du débat démocratique parce que les femmes n'y ont jamais vraiment eu de voix. La construction de l'Europe, la nouvelle présidence américaine sont des occasions uniques, et les autorités européennes elles-mêmes réclament une plus grande pratique de l'égalité.

Ce que l'on entend aujourd'hui par égalité est une véritable révolution des mœurs.

Un concept indivisible

L'égalité est un concept indivisible : une femme ne peut pas être « égale » à un homme dans un domaine et ne pas l'être dans un autre. Le progrès vers l'égalité est un indicateur, mais n'est pas l'égalité. Une femme n'est pas « égale à 85 % ». Et si elle accède enfin à l'égalité, il faut que toutes les autres puissent exercer cette égalité, pas seulement un petit nombre. À cet égard, les comparaisons entre les pays sont trompeuses puisque chaque pays a développé des « espaces d'égalités » sans jamais réaliser l'égalité. C'est d'autant plus louche, puisque c'est aussi, dans chaque cas, l'aveu d'un échec !

Jamais dans toute l'histoire de l'humanité les notions d'égalité et de droit à la différence n'auront été si proches, si compatibles, si imbriquées. C'est aussi parce que nous sommes différents que nous devons être égaux.

Les sociétés scandinaves sont pionnières dans ce domaine. Si elles nous semblent si cohérentes, c'est parce que la recherche de l'égalité femmes-hommes les a obligées à reconsidérer l'ensemble des rapports humains, particulièrement en ce qui a trait à la responsabilité des parents, au traitement des minorités et des handicapés, à la corruption, à la conception même de la société. La Norvège et le peuple norvégien sont des pionniers en matière de lutte contre la corruption. Comment, en effet, parler d'égalité et de liberté dans un pays corrompu ?

Ce changement de mentalité est majeur, mais il ne fait pas l'objet d'un consensus parmi les gouvernants. Cependant, dans plusieurs pays, il n'est plus une revendication de défavorisés, mais de citoyens de toutes les classes sociales pour qui cet effort commun est nécessaire à la stabilité et au développement de la société entière.

Une définition moderne des principes

Dès le XVIIe siècle, Grotius[20] affirmait que le droit ne prenait pas sa source dans la volonté du Seigneur, mais dans celle des hommes, et qu'il existerait même si Dieu n'existait pas. Kant illustre cette philosophie en postulant qu'un comportement ne peut être qualifié de juste que s'il est universalisable, ce qui est aussi une prétention moderne.

Le débat renaissant sur l'égalité oppose toujours le courant philosophique « conservateur », celui de Spinoza (une personne a autant de droits que de puissance), au courant moderne qui veut que le droit soit soumis à la raison, base des sociétés laïques. Pour l'instant, le courant moderne, ce serait plutôt « une personne a autant de droits que de puissance », mais bon…

Il s'agit bien d'organiser la discussion et le pouvoir autour des valeurs qui doivent nous conduire vers une vie meilleure et viable telle qu'elle a nombre de fois été définie par la plupart des peuples au cours de l'histoire. C'est bien sûr un idéal, voire une utopie, mais il n'en reste pas moins que personne ne peut prétendre à l'égalité sans démocratie, ni à la démocratie sans égalité, parce que ces deux idées sont à la base du concept de progrès tel que nous le concevons d'une manière universelle.

Particulièrement sensibles aux traitements injustes qui sont le lot des femmes partout dans le monde, nous[21] voulons en effet imposer nos « valeurs » à la planète entière. Il n'en reste pas moins que, dans le monde, une certaine idée plus large de l'expression démocratique du progrès est en train de prendre forme. L'égalité en constitue le pilier.

On enseigne à l'ENAP[22], le pendant de l'ENA[23] à Montréal, que la liberté et l'égalité se diffusent partout dans le monde par le biais de notre démocratie. Opposant la démocratie au totalitarisme, cette théorie veut laisser croire à une nouvelle égalité, alors que tous les

20. Huig de Groot (1583-1645) dit Grotius, avocat, homme de loi, humaniste.
21. Ce « nous », c'est celui qui s'impose dans les grandes décisions, le G20, qui représente 90 % de l'économie mondiale mais ignore les Scandinaves, Cuba et les pays les plus pauvres, c'est 20 pays sur 190.
22. l'École Nationale d'Administration Publique.
23. l'École Nationale d'Administration.

indicateurs démontrent au contraire que de nouvelles inégalités se sont construites sur les interventions des Occidentaux dans le monde : fabrication et commerce, armée, finance ont déjà remplacé les inégalités fondées sur les ethnies et les religions, quand elles ne fomentent pas la révolte.

Le monde se réorganise en laissant se reformer dans son ornière de nouvelles formes d'injustice et de précarité, et de nouvelles formes d'inégalité entre les femmes et les hommes.

Mais le plus gros des poncifs, la raison toujours invoquée pour justifier une inégalité fondamentale, sur laquelle butent même des hommes et des femmes acquis à la cause de l'égalité, porte sur la reproduction des humains. La tradition, la religion et un certain penchant naturel vers la procréation ont fait porter sur les femmes l'entière responsabilité de la reproduction. On peut cependant douter qu'une telle charge ait une cause naturelle. Si les manchots empereurs mâles s'occupent de leur progéniture, pourquoi les hommes ne le feraient-ils pas ? Le sujet est tabou. Dans certains pays, la pression familiale et sociale est très forte, au point que même des femmes qui ne sont pas attirées par l'enfantement se résignent à franchir le pas.

Les femmes ne seront jamais libres si le découplage de la reproduction et de la charge des enfants n'est pas accepté comme nouvelle éthique sociale. Toute la question du travail des femmes, la question centrale de la libération, repose sur ce découplage. Tous les alibis sont là. Seules les femmes peuvent donner naissance à un enfant, mais plus rien ne dit aujourd'hui qu'elles seules doivent en avoir la charge.

Lorsque nous parlons d'égalité, nous parlons d'égalité totale, d'une société dans laquelle une femme peut faire exactement la même chose qu'un homme : travailler, faire du sport (en équipes mixtes, pourquoi pas ?), décider sans que la question des enfants soit la maîtresse des décisions.

Les hommes les mieux intentionnés refusent cette ultime concession à la liberté des femmes. Pour eux, elles seront toujours faites pour élever les enfants, et la remise en cause de ce postulat, de ce que certains appelleront « une donnée biologique », constitue une barrière « naturelle » à leur entière liberté. Sur ce point, la détermination des hommes est tellement forte qu'elle finit par emporter l'adhésion des femmes : elles se sentent alors indignes, égoïstes ; une femme ne peut jamais être elle-même comme un homme peut être lui-même, sans complexes et sans crainte.

Deuxième partie : L'état des lieux

Jamais autant d'hommes et de femmes n'ont été asservis, affamés ou exterminés sur la terre.

JACQUES DERRIDA

Une femme sans homme est comme un poisson sans bicyclette.

PROVERBE HOLLANDAIS

Les luttes

Penelope Russianoff, psychologue américaine, traitait encore en 1981 du syndrome du « je-ne-suis-rien-sans-un-homme[24] ». Vingt-sept ans plus tard, en 2008, pour la Saint-Valentin, quand une télévision française demande à sa psychologue ressource ce qu'une femme doit faire pour se trouver un compagnon, la psy lui sort toutes les réponses dont le XIXe siècle avait déjà honte : ne pas coucher le premier soir (pour une femme, cela fait mauvais genre) et ne jamais inviter un homme, mais plutôt lui suggérer que l'on est disponible, afin qu'il fasse lui-même l'invitation… La femme réduite au seul rôle de séductrice s'officialise toujours en psychologie comme dans la publicité. Et nous sommes en 2008.

Nous pourrions parodier La Fontaine : « Elles n'en mouraient pas toutes, mais toutes étaient frappées. » Que chaque femme se demande si elle n'a pas un jour subi une quelconque discrimination, un manque de confiance, une humiliation, du seul fait qu'elle soit une femme. Nous connaissons la réponse.

Les femmes, entendons les féministes, ont posé la question du partage démocratique du pouvoir et elles n'ont eu, jusqu'à présent, que des réponses statistiques au problème exposé. Par des manœuvres qui tiennent plus de la récupération politique que de la volonté de partager le rêve humain, nous leur accordons quelques pourcentages de places dans des milieux traditionnellement masculins. Nous leur proposons la mixité plutôt que le pouvoir. Quand elles investissent une profession – médecine, ingénierie, droit, direction d'entreprise –, les milieux réagissent pour déplacer les centres de pouvoir vers d'autres professions, d'autres lieux. Comme si l'arrivée des femmes devait avoir pour corollaire une dévalorisation des professions investies.

24. Russianoff, Penelope, *Why Do I Think I Am Nothing Without a Man?* New York, Bantam Books, 1981.

Si les femmes ont envahi la profession médicale (75 % d'étudiantes en médecine au Québec), elles se retrouvent en médecine publique, sont minoritaires dans plusieurs spécialités et absentes des hauts postes de gestion. Fin 2008, les étudiants en médecine de l'Université de Montréal ont révélé que leurs professeurs orientent les femmes vers la médecine générale mais conseillent aux hommes de se spécialiser... Ça se soigne, docteur ?

En France, en 2008, le président français ferme des tribunaux, des hôpitaux, situés dans des petites villes (au lieu de privilégier la télé-médecine et le désenclavement), des institutions qui font partie du domaine de la famille et qui ont une importance particulière dans la vie des femmes, autant par les services qu'elles fournissent que par l'emploi qu'elles génèrent. Il existe plusieurs moyens de limiter l'impact de la présence des femmes (et de leur manière de gérer les problèmes), et le premier est sans doute de réduire les fonds[25].

En 2007, la ministre de la Condition féminine du Canada, Bev Oda, déclarait : « L'égalité entre les hommes et les femmes est atteinte puisqu'elle est enchâssée dans la *Charte des droits et libertés*[26]. » Selon elle, il n'est donc plus nécessaire de financer les organismes qui en font la promotion. « Je ne crois pas que les contribuables devraient payer pour du lobbying[27] ».

Ce n'est pas très grave, puisque la ministre de la Condition féminine n'a aucun pouvoir. C'est quand même compter un but contre son propre camp.

En France, c'est un député-maire communiste de Saint-Denis, Patrick Braouezec, qui disait en 2005 : « Il y a d'autres sujets d'actualité que la polygamie, s'y intéresser, c'est entrer dans l'intimité des gens. »

Un commentaire qui ressemble à ce que l'on entendait autrefois dans les postes de police quand une femme battue venait porter plainte contre son agresseur. On sent bien le pouvoir en marche.

Les services québécois aussi sont amputés. La docteure Diane Francœur, gynécologue et présidente de l'Association des

---

25. Benz, Stéphanie et Danièle Licata, « Ces services publics rayés de la carte », *L'Expansion*, n° 731, juin 2008. On compte 131 villes touchées pour les hôpitaux, 269 villes pour les tribunaux.
26. Lambert-Chan, Marie, « Condition féminine Canada - La guerre, yes madam ! », *Le Devoir*, 3-4 mars 2007.
27. *Ibid.*

obstétriciens et gynécologues du Québec, constate qu'aujourd'hui, à l'hôpital Sainte-Justine, des femmes viennent accoucher sans avoir bénéficié d'un suivi médical de la grossesse, ce qui ne se voyait pas avant. Pour beaucoup de femmes, il est tout simplement impossible d'obtenir un rendez-vous pour une clarté nucale[28], voire même pour un simple suivi. Et ce refus institutionnel de l'accès aux soins médicaux ne touche pas que les femmes enceintes ; il atteint les femmes ménopausées aussi. « Ce qu'on note avant tout, c'est une absence d'intérêt de la part du ministère de la Santé. Qui va se battre pour les femmes et les enfants[29] ? » demande-t-elle.

Parenthèse : le docteur Réjean Thomas soulignait, le 31 décembre 2008 à la télévision, que certaines maladies vénériennes ont connu une augmentation de 250 %, et devinez qui elles touchent...

En France, une demande d'IVG[30] sur deux est refusée pour des raisons diverses: manque de place, «clause de conscience» du personnel, délai de 12 semaines dépassé et, bien sûr, fermeture de 50 centres sur 176.

En France toujours, à partir de 1987, la profession de gynécologue médical est proprement déclassée pour être réhabilitée en 2000 après une bataille. Mais en 2005, l'accès direct à un gynécologue est de nouveau remis en question par l'assurance-maladie. En clair, la gynécologie médicale va être absorbée par... la gynécologie obstétrique[31].

Une autre lutte fondatrice de l'idée moderne d'égalité, celle pour le droit de vote des femmes, n'est toujours pas terminée. L'accès aux institutions politiques et à la politique en général n'est toujours pas égalitaire et les instances investies par les femmes, les associations en particulier, n'ont jamais l'oreille des gouvernants.

Les femmes ont été à l'origine des plus importants changements contemporains, à commencer par... le vote des femmes ! C'était effectivement l'année zéro de la véritable démocratie, du véritable scrutin universel[32].

---

28. Rioux Soucy, Louise-Maude, « Femmes enceintes, femmes négligées », *Le Devoir*, 8-9 décembre 2007. La clarté nucale est un premier test pour détecter la trisomie.
29. *Ibid.*
30. Interruption Volontaire de Grossesse.
31. Fleury, Claire, « La gynéco en danger », *Le Nouvel Observateur*, n° 2291, 2-8 octobre 2008.
32. www.assemblee-nationale.fr/histoire/femmes/citoyennete_politique_chronologie.asp.

Rappelons-nous qu'en France, le droit de vote et d'éligibilité n'a été acquis qu'en 1944, instauré par le général de Gaulle (encore lui), et c'est seulement trois ans avant Mai 68 que les femmes ont pu travailler sans l'accord de leur mari. Il faut donc voir les luttes féministes pour ce qu'elles ont été dès le début et pour ce qu'elles sont encore : des interventions directes, nécessaires et urgentes dans la vie politique.

La fin du féminisme nous est annoncée régulièrement, comme certains philosophes nous ont annoncé la fin de l'Histoire. Au contraire, le féminisme s'est hissé au rang de révolution mondiale en s'attaquant aux formes de ségrégation les plus violentes, pratiquées ailleurs que dans les pays dits développés[33]. Ici même, en Amérique du Nord, en Europe, il nous parle encore de droits fondamentaux, pas seulement de bien-être matériel. La révolution tranquille des femmes n'a pas fini de bouleverser la planète.

Peut-être devrions-nous être plus lucides et porter sur le présent le regard que nos descendants y poseront dans 20 ans : femmes craintives, pauvreté, déclassement des professions occupées par les femmes, exploitation, disparité salariale, relations de couple problématiques ! Les femmes des années 1970 se sont bâti une dignité à force de manifestations, de coups sur la tête et de séjours en prison. Chaque progrès, particulièrement le droit d'avorter, ne s'est fait qu'au prix de très lourds sacrifices, souvent même celui de la vie. N'allons pas croire aujourd'hui que le reste va être distribué généreusement aux femmes.

LA VIE EN ROSE

Vers la fin des années 1980, les jeunes femmes tokyoïtes entraient en force dans des endroits publics, restaurants, bars, en bousculant ostensiblement les bourgeois, comme des punks qui slamment. Plus récemment, en France, les Panthères roses et les Très très méchantes ont suivi les traces des Guerilla Girls new-yorkaises. Elles dénoncent le véritable monopole masculin dans les lieux de pouvoir, dont celui de l'art. Depuis sa création en 1977, le Musée national d'art moderne de

33. Interdiction des mines antipersonnel (voir à ce sujet les travaux de Jody Williams, prix Nobel de la paix en 1997, dans la Campagne internationale pour l'interdiction des mines antipersonnel terrestres), planning familial, campagnes contre la burqa, contre l'excision.

Paris affiche un taux d'artistes masculins de 86 %[34]. La revue québécoise *La Vie en rose* indiquait que les femmes artistes demandaient en moyenne des bourses de 3 000 $, contre 20 000 $ pour les hommes. Il ne faudrait pas confondre grandeur et ambition !

Nous sous-estimons l'importance des luttes des femmes pour obtenir justice. Si, aujourd'hui, le XXe siècle nous paraît ridicule et anachronique, c'est parce qu'il n'y a que 40 ans que l'avortement est autorisé dans des pays comme la France ou le Canada, qu'il ne l'est toujours pas partout dans le monde,... ou encore qu'aucune femme n'a été élue chef du gouvernement de pays comme les États-Unis, la Russie, la Chine, l'Italie ou la France. Dans nombre de secteurs d'activité, dans le domaine des arts, entre autres, les inégalités ne se sont pas atténuées, elles ont augmenté. Nous sommes toujours en retard dans la réalisation de notre propre projet d'égalité, malgré l'évidence que l'égalité doit se faire immédiatement, intégralement. Sans une philosophie sociale renouvelée, les quelques mesures égalitaires que se partagent la gauche et la droite ne font que déplacer les problèmes, sans supprimer la discrimination. Une femme ne peut pas être un peu plus égale à l'homme qu'avant : elle l'est ou elle ne l'est pas.

Le mythe de la parité – l'argument économique

Parité, égalité, équité salariale, éradication de la violence, tous ces concepts s'emboîtent les uns dans les autres, se recoupent. Ils ne peuvent pas être isolés sous peine de perdre leur sens. Dans la vie quotidienne, ces femmes qui gagnent de 25 000 à 30 000 dollars ou euros par année voient leurs homologues masculins en gagner de 31 000 à 37 000 pour un travail identique. Difficile d'imaginer qu'un tel système social puisse bien fonctionner.

Il faut avoir en mémoire une image de la pyramide des salaires : ainsi, en 2000, 46 % des femmes et 28 % des hommes gagnaient un revenu de moins de 15 000 $ par année. Dans la tranche des 15 000 $ à 30 000 $, les deux genres sont presque à égalité (29 % des femmes pour 26 % des hommes). Cela signifie que même si les salaires des femmes

34. Selon le magazine parisien *En ville*, n° 13, février 2006. Notons qu'à New York, le taux d'artistes féminins a même baissé (voir le site www.guerillagirls.com).

ne sont inférieurs à ceux des hommes « que de 20 à 25 % », en termes de nombre, ce sont elles qui occupent les postes les moins bien payés. Trois fois plus d'hommes que de femmes gagnent plus de 60 000 $ annuellement[35]. Il faudrait recalculer la variation des salaires en tenant compte, cette fois-ci, du nombre de travailleurs de chaque genre pour obtenir le revenu moyen des femmes et le revenu moyen des hommes. Nous serions alors très loin de la « presque égalité » que pourrait suggérer une différence salariale (pour un même travail) de 20 %[36]. En d'autres termes, même si la parité existait dans la plupart des secteurs, les femmes seraient toujours nettement désavantagées du simple fait qu'elle n'ont pas accès à tous les postes et à tous les échelons.

Une autre statistique ? En 2001, au Québec, le revenu brut des mères en couple avec enfant à la maison (23 000 $) équivalait à 55 % du revenu des pères (43 000 $) et était même inférieur à celui des mères « monoparentales » (25 000 $). Quarante pour cent des mères avaient un revenu personnel de moins de 15 000 $. Quand nous examinons les chiffres des autres années, nous constatons une amélioration, mais jamais de renversement : c'est toujours l'inégalité qui est la tendance. Puisque la moitié des couples seront dissous, ce seront les femmes qui se retrouveront vieilles et sans le sou. Le calcul est simple. Mais la réalité reste cachée par le fameux chiffre qui nous indique que le salaire des femmes est inférieur de 20 % à celui des hommes.

À l'image des pays du Moyen-Orient inventés par les baroudeurs qui ont découvert le pétrole pour les compagnies qui les mandataient, les femmes vivent aujourd'hui à l'intérieur des frontières et des institutions créées par les hommes. C'est pour cette raison que les femmes les plus fortes ne parviennent qu'à faire les politiques des hommes et, tout au plus, à les adoucir. Rachida Dati, ministre française de la Justice, n'exerce pas une justice de femmes. Au contraire, elle renforce le processus judiciaire punitif, alors que les juges en ce domaine, souvent des femmes, non seulement éprouvent de la compassion pour les prévenus, mais font montre d'une réelle volonté de remédier à leur situation[37].

35. *Congrès du travail du Canada*, 2008, http ://canadianlabour.ca/en/seminaire-de-la-campagne-pour-l-egalite-economique-des-femmes

36. Moisan, Lise, « Femmes, à vos tableaux ! », *La Vie en rose*, hors-série, 2005, p. 58.

37. Par comparaison, Rachida Dati symboliserait le système pénal canadien ou américain, alors que les juges français se rapprocheraient des juges québécois.

C'est plutôt le retour à une justice froide, expéditive et punitive que l'on prépare ainsi, comme le laisse penser la création d'une « rétention » après les peines de prison, la suppression de nombreux tribunaux pourtant engorgés et les peines minimales pour les récidives. Dans ce cas précis, nous croyons que la ministre française exerce la politique du président et de ses hommes, pas celle pour laquelle elle a été soutenue par des femmes.

On peut penser que même un parlement paritaire ne parviendrait pas à réaliser l'égalité dans le système actuel, dans la mesure où la manière de faire les lois, les processus, les habitudes, les jeux de pouvoir sont masculins, où les horaires aussi sont masculins, comme l'ont souligné deux chercheurs[38]. Les institutions, ce sont des moyens de faire les choses, et la discrimination y reste encore la norme.

Une ancienne ministre québécoise, Louise Beaudoin, racontait combien il est difficile pour un ministre de l'Environnement, par exemple, de se faire entendre, tant les gouvernements sont esclaves du développement économique à court terme. Comme les horizons des dirigeants sont brumeux, on imagine quels sont leurs arguments quand il s'agit de mettre en place une politique visant l'égalité. Pour eux, ce serait une charge. De leur côté, les entreprises, harcelées par leurs actionnaires, se contentent de faire pression sur les gouvernants pour qu'ils ne leur imposent pas d'augmentations de coûts à court terme.

Le deuxième âge de l'émancipation, cher à Dominique Méda[39], semble donc problématique. Le premier, aux dires des féministes, était plus doré, plus facile, tandis que le second s'avère compliqué. Il ne s'agit plus de combattre des injustices évidentes, mais de s'attaquer aux plus malignes. C'est l'ère du « foutez-nous la paix, vous avez tout eu » des masculinistes. C'est aussi un appel aux femmes pour qu'elles rentrent dans le rang, profitent des progrès accomplis et renoncent à en réaliser d'autres.

En fait, si l'on constate des reculs dans la course vers l'égalité, c'est d'une part parce que le pouvoir masculin a pu réagir, battre en retraite et revenir avec des concessions, mais aussi parce que les

---

La Cour suprême du Canada a cependant corrigé la loi fédérale dans un jugement du 18 mai 2008.

38. Le Quentrec, Yannick et Annie Rieu, *Femmes : Engagements publics et vie privée*, Paris, Éditions Syllepse, 2003.

39. Méda, Dominique et Hélène Périvier, *Le deuxième âge de l'émancipation*, Paris, Seuil, 2007.

institutions et les lois actuelles, mêmes celles qui ont été créées « pour les femmes » (crèches, congés, retour au travail) ne prennent pas en compte l'ensemble du concept d'égalité. Pour parvenir à une véritable démocratie, à une véritable participation égalitaire à la vie sociale et politique, il faut réinventer la manière de faire de la politique. Il faut trouver des moyens de donner de la valeur, du pouvoir décisionnel aux femmes. Et le pouvoir, tel que nous le connaissons aujourd'hui, ne correspond pas à une vision égalitaire de la société. Nous qui croyons devoir exporter notre démocratie, donner des leçons, oublions même d'installer des femmes dans les gouvernements que nous imposons en Irak ou en Afghanistan. C'est une manie.

Dominique Méda et Hélène Périvier évoquent l'éternelle réponse des gouvernements lorsqu'il faut régler des problèmes de parité, de garde d'enfants, de prise en charge par la société : le manque d'argent. Dans un pays donné, au sein d'une société donnée, le prétexte du budget, ce n'est rien d'autre que la volonté de ne pas consacrer d'énergie à un problème et, donc, de considérer que ce problème n'est pas important. Qu'en termes diplomatiques…

L'économie, l'argent, c'est l'expression des choix de travail. Lorsque De Gaulle a voulu faire de la France une puissance, il a choisi des axes de développement : l'atome, l'informatique (on se rappelle l'affaire Bull), l'aéronautique, la dissuasion militaire, sorte de complexe militaro-industriel à la française qui a permis EADS[40], et Ariane, et Dassault, et l'informatique !

Le choix de l'égalité n'est pas un choix alternatif : il n'implique pas l'abandon d'autres priorités, au contraire. Si, demain matin, le travail des femmes était rémunéré à sa juste valeur, l'économie s'en porterait mieux, pas plus mal.

Une partie des craintes des financiers est basée sur de faux principes. Ce qui détermine la richesse de l'économie, c'est la productivité, pas les bas salaires. Or, c'est un constat des observateurs européens, les politiques de hauts salaires constituent la meilleure solution aux problèmes économiques. Ce n'est pas parce que les salaires des Chinois sont minuscules que les industries occidentales se délocalisent, mais plutôt parce que ces mêmes industries n'ont fait aucun progrès

40. European Aeronautic Defence and Space Company.

dans nos pays, se contentant d'engranger des profits sans se moderniser, sans former de personnel. La solution la plus simpliste, c'est alors de faire travailler, dans des contrées lointaines des ouvriers à des salaires d'esclaves, ce que les Chinois, eux aussi, commencent à faire en Afrique.

L'autre solution, c'est le développement intelligent. Ce sont les Allemands, parmi les premiers exportateurs au monde, qui vendent aux Chinois les super machines nécessaires à leur développement (et à la fabrication des produits que nous achetons), et cette industrie-là ne se délocalise pas. L'Allemagne et les pays scandinaves ont une politique d'éducation et de formation qui leur permet de conserver et renouveler leur industrie, et les femmes font partie de ce processus.

La délocalisation, c'est le nouveau nom du *dumping*. Lorsque les Japonais le pratiquait, c'était considéré comme une faute ; aujourd'hui, c'est devenu une pratique commerciale courante que nous retournons contre nous-mêmes en passant par l'Inde ou par la Chine.

En réalité, lorsque des industries se modernisent et accroissent leur productivité, c'est d'une main-d'œuvre spécialisée dont elles ont besoin, ce que les pays du tiers-monde ne possèdent pas encore. Le problème du textile ressemble au problème que l'automobile a connu aux États-Unis, lorsque le Japon a profité de la paresse de Chrysler[41] et d'autres pour envahir le marché américain. Les Japonais fabriquaient des autos de mauvaise qualité, puis ont automatisé leur production pour produire des véhicules supérieurs et, du même coup, développer l'industrie des robots. Encore aujourd'hui, le Japon est le pays le plus robotisé du monde. Les constructeurs automobiles américains ont oublié la leçon.

Les effets de ce progrès seront d'« harnacher » la formidable capacité de travail des femmes et de l'intégrer à notre développement. Il ne s'agit plus seulement du travail dans l'entreprise, mais de tout le travail, depuis les tâches domestiques (partagées) jusqu'à la recherche scientifique : il faut tout revoir, tout repenser, tout partager. Les pays nordiques possèdent les meilleures économies du monde, malgré leur handicap géographique, parce que tout le monde y travaille, tout le monde participe, hommes et femmes.

41. C'était le combat de Ralph Nader.

La prétendue montée des nationalismes en Europe n'est rien d'autre que l'expression de consensus régionaux, l'expression de solutions diverses à des problèmes communs.

Les pays émergents, à leur tour, pourront profiter de ce progrès. Actuellement, ils se contentent d'exploiter littéralement la main-d'œuvre, et particulièrement la main-d'œuvre féminine, en la bradant pour obtenir des contrats des étrangers. Un jean chinois se vend quatre dollars à un commerçant indien qui, lui, va le revendre cinq fois ce prix. Mais rien n'interdit aux Chinois d'éduquer leur population plus rapidement et de la faire travailler à développer le pays plutôt qu'à inonder l'Occident de produits de consommation.

La morale de cette histoire, c'est que, dans les deux cas, celui des pays industrialisés et celui des pays en développement, la richesse ne se crée pas en exploitant des masses ignorantes ou impuissantes, mais en les éduquant et surtout en leur garantissant l'exercice de leurs droits. Il y a trois milliards et demi de femmes dans le monde.

Panoramique des injustices persistantes

La violence

En France, six procès sur dix aux assises concernent des viols. Les mauvaises langues disent qu'il y a plus de viols rapportés à la police que d'autres crimes. À regarder les variations des statistiques publiés dans différents pays, il faut plutôt croire que seul un petit nombre de violences est rapporté. Autrement, il faudrait admettre que la Finlande ou Israël comptent plus d'hommes violents que les autres contrées, puisque ces deux pays rapportent des taux de violence nettement supérieurs… Notre impression est plutôt à l'effet que la plupart des femmes ont connu des violences graves, des viols, des humiliations, du harcèlement, autant de causes historiques de cette fameuse matière sombre que nous évoquions précédemment. Nous pourrions aussi dire que presque tous les Noirs ont été victimes de racisme ; au-delà du sexisme, du racisme et de la protection contre leurs manifestations, le problème fondamental reste celui de l'égalité de tous les être humains.

Loin de diminuer, la violence faite aux femmes se perpétue. Une étude cite des pourcentages de 15 % à 71 %[42]. Elle reste encore un sujet tabou,

42. Garcia-Moreno, Claudia, H. A. F. M. Jansen, M. Ellsberg, L. Heise et C. Watts, « Intimate partner violence and women's physical and mental health in

et les chercheurs ne parviennent toujours pas à cerner le phénomène. En ce qui a trait aux catégories sociales auxquelles appartiendraient les personnes violentes, certains y voient le fait de classes peu instruites, alors que d'autres, comme le Conseil de l'Europe, les recensent parmi toutes les catégories sociales. Nous ajouterons que les cas de violence chez les plus fortunés ne parviennent que rarement jusqu'aux autorités, les enjeux et le rapport de force étant plus déterminants. Les classes sociales élevées ont acquis des habitudes de règlement des problèmes qui ne passent pas par la police ni par les instituts de recherche.

À la maison, relations forcées, arrachées ou fortement suggérées sont pratiquement acceptées, sorte d'obligation traditionnelle. En France, l'abolition de l'obligation légale du « devoir conjugal » ne date que de 1990 !

La rupture du contrat d'engagement

Quand les femmes, demandeuses de divorce dans la majorité des cas, invoquent comme raison l'absence d'implication de leur partenaire, il faut reconnaître que cette rupture du projet commun est bien le fait des hommes.

Beaucoup de divorces impliquent des enfants. Il s'agit d'un problème social important ; c'est une autre forme de violence envers les femmes et les enfants, une sorte d'abandon et un facteur important d'appauvrissement. Même si de plus en plus de femmes se sortent aussi bien, sinon mieux, de cette situation que leur partenaire, le problème du désengagement reste entier et à la charge des femmes. La simple séparation du couple provoque un appauvrissement des enfants ; rares sont les parents (en particulier les fameux « pourvoyeurs ») qui allouent, une fois séparés, les mêmes montants aux enfants. Les grilles de calcul sur lesquelles se basent les juges pour accorder les pensions alimentaires raisonnent comme des grilles, pas comme des cerveaux.

Les plus défavorisées d'entre les femmes n'ont pas les outils ni l'expérience de travail nécessaires pour se reclasser. Elles sont alors

---

the WHO multi-country study on women's health and domestic violence: an observational study », *The Lancet*, vol. 371, n° 9619, 5 avril 2008.

GARCIA-MORENO, CLAUDIA, H. A. F. M. JANSEN, M. ELLSBERG, L. HEISE et C. WATTS, « Prevalence of intimate partner violence: findings from the WHO multi-country study on women's health and domestic violence », *The Lancet*, vol. 368, n° 9543, 7 octobre 2006.

exploitées et vivent dans une véritable souffrance. Elles n'ont pas l'écoute des employeurs potentiels, ni le respect des services d'aide. Dans les couples qui ne sont pas mariés, c'est le naufrage classique : la femme aura élevé les enfants, l'homme aura un peu thésaurisé, la femme n'aura rien, sauf dans quelques pays.

Manifestement, le hasard et l'air frais guident les décisions de reproduction des couples. Pour beaucoup de jeunes femmes qui vivent chez leurs parents, c'est l'occasion de sortir de la maison ; pour beaucoup d'hommes, c'est l'occasion de réaliser un rêve à crédit, loin de la réalité. Il y a dans la société un réel besoin d'éducation sentimentale.

Le docteur Chicoine, pédiatre québécois, raconte qu'il voit arriver le couple et son jeune enfant à un premier rendez-vous. Au deuxième, la mère accompagne seule son enfant, bientôt, il n'y aura plus de visites : le couple est séparé, c'est le schéma habituel.

Dans le cas des femmes qui commencent le travail après un divorce, vers l'âge de 40 ans, la vieillesse sera misérable : petits boulots, difficulté de retracer le fonds de retraite de l'ex-mari, retraite personnelle insignifiante. Malgré la perception des pensions alimentaires par l'État, c'est pratiquement toujours la femme qui abandonne les recours légaux, faute d'argent et de volonté de livrer une guerre sans merci au « père de ses enfants. » Elle préférera concentrer ses efforts sur sa nouvelle situation familiale. En général, les femmes sont plus portées vers la résolution immédiate des problèmes que vers les batailles financières. Salaires inférieurs, prestations de retraite malingres pour cause d'arrivée tardive sur le marché du travail : les femmes paient toute leur vie le prix de leur propre travail à la maison… qui n'était même pas rémunéré !

L'équité des revenus

Plusieurs sociologues estiment qu'en 2007, la situation des femmes s'est détériorée par rapport aux années précédentes. La discrimination est plus sensible et les quelques victoires obtenues ont été compensées par le glissement du pouvoir auquel nous avons fait allusion… Glissement des salaires aussi : Statistique Canada nous apprend que, de 1981 à 2001, les femmes ont rattrapé et dépassé les hommes dans la scolarisation (un tiers des femmes détiennent un diplôme universitaire, contre un cinquième des hommes), mais sans que cela ne se soit traduit par une équité salariale plus grande, l'écart salarial passant de 20 % à 18 % durant ces mêmes années[43]. Aux États-Unis, des écarts identiques « s'expliquent », comme disent les statisticiens, par la concentration de femmes dans les secteurs de la santé... qui ont justement connu des restrictions budgétaires. Un moyen comme un autre de pérenniser le pouvoir masculin.

Même dans les métiers autrefois masculins investis par les femmes, ces glissements ont permis aux hommes de conserver leurs positions dominantes dans l'entreprise et dans la fonction publique. En médecine, en ingénierie, les postes occupés par les femmes ont désormais moins de prestige, ou peut-être les femmes ont-elles pu les investir parce qu'ils avaient perdu du prestige... et du pouvoir.

L'inégalité est donc recréée dans les espaces conquis, par une nouvelle division du travail qui permet de justifier des inégalités[44]. Ce n'est pas le propos de cet essai de démontrer ces phénomènes, une pléthore d'ouvrages et de recherches les ont décrits dans le détail. L'absence d'équité financière se loge jusque dans la transmission des patrimoines : on présume toujours que le fils sera meilleur héritier que la fille pour gérer l'entreprise ou exploiter la terre. Mais, par-dessus toute autre chose, ce qui est le plus frappant, c'est que chacune de ces inégalités sera niée, expliquée par un contournement de la réalité, par une fausse évidence, par un déni de confiance.

Apathiques, les femmes ?

Bihr et Pfefferkorn citent le cas d'un colloque organisé par une chaire universitaire qui, sur 80 professeurs, ne comptait qu'une seule femme, alors même que l'assistance à ce même colloque était, composée à 80 % de femmes[45]. Ce qu'il serait intéressant d'étudier plutôt que de colloquer, c'est comment on s'y est pris pour bloquer ainsi l'accès du professorat à tant de femmes passionnées !

Les mêmes auteurs relèvent que la participation des femmes à une quelconque activité politique ou syndicale est toujours subordonnée

---

43. Berger, François, « Les femmes ne rattrapent pas les hommes », *La Presse*, 13 juin 2007.
44. Bihr, Alain et Roland Pfefferkorn, *Hommes-femmes, quelle égalité ?* Paris, Les éditions de l'Atelier/Éditions ouvrières, 2002.
45. *Ibid.*

à l'organisation existante (toujours les institutions masculines…) et pratiquement immuable. Ces activités ont été conçues par des hommes en fonction de leurs disponibilités et de leurs priorités, et les femmes peuvent difficilement s'inscrire dans ces organisations parce que leurs tâches « personnelles », le ménage et l'éducation des enfants, ne le leur permettent tout simplement pas. Longues réunions, pauses-récréations qui allongent encore les soirées syndicales : le fonctionnement des « *boys clubs* » est tout bonnement incompatible avec le partage égal des tâches familiales. On s'en serait douté.

Lors d'une édition des *Années lumière*, émission radiophonique de Radio-Canada, qui portait sur les femmes scientifiques[46], l'une d'elles faisait remarquer que les femmes ne projettent pas la même image d'assurance, de sûreté de soi que les hommes. Tout en se sachant aussi capables que les hommes, elles ne l'expriment pas de la même manière, nous dirions de la manière requise par l'institution. Ce simple fait a pour conséquence d'empêcher ces scientifiques d'accéder aux postes qui leur reviendraient en raison de leur compétence. C'est donc bien le fonctionnement de l'institution qui cause cette discrimination dans l'emploi. Bibiana Aido, ministre espagnole de l'Égalité, parle aussi des institutions quand elle dit : « Nous devons tenir compte du fait que nous venons de lieux différents : les hommes ont été socialisés pour prendre le pouvoir, alors que les femmes ont été socialisées pour ne pas prendre le pouvoir ! ». Les institutions, les entreprises ont été bâties sur ce modèle.

Laissons le dernier mot à une personne de terrain, Nathalie Beaudry, directrice aux ressources humaines chez Bell Canada qui a créé, avec d'autres, *Les filles et les sciences, un duo électrisant*, des ateliers pour intéresser les filles aux carrières scientifiques, au moment où les orientations se décident, vers l'âge de 15 ans. Une évidence mathématique : il faut et il suffit de donner aux filles des clés : « Il faut voir comment les jeunes filles réagissent dans les ateliers. Quand elles assistent à un atelier d'aéronautique, elles veulent toutes aller en aéronautique, quand elles assistent à un atelier en électricité, elles veulent toutes aller en[47]… »

---

46. *Les Années lumière*, Radio-Canada, Première chaîne, 18 mai 2008.
47. Interviewée dans le cadre d'un reportage de Sophie-Andrée Blondin. *Les Années lumière*, Radio-Canada, Première chaîne, 9 novembre 2008.

Plafond de verre... et plancher collant

Dans tous les pays, les femmes ont un accès limité aux instances décisionnelles. Le plafond de verre, cette ségrégation invisible, est présent dans tous les pays, dans toutes les institutions, y compris dans les pays nordiques. Et il est plutôt bas.

C'est l'ensemble du système institutionnel qui est la cause de ce plafond, et non seulement une volonté (ou des volontés locales) d'empêcher les femmes d'accéder à l'échelon le plus haut d'une entreprise ou d'un gouvernement, comme on le croit généralement.

Dès qu'il est question de choisir un chef, à quelque échelon que l'on se trouve, les hommes auront la priorité. Le plafond de verre est partout, à tous les étages. Il n'est donc pas étonnant de le retrouver tout en haut, où ses effets ont été multipliés : le plafond de verre est une culture du refus. On le constate dans les commentaires associés habituellement à l'accession d'une femme à un haut poste.

Dans l'industrie française (par opposition aux services), les femmes n'occupent que 28 % des emplois (45 % dans le reste de l'économie). Cela signifie aussi que 72 % d'entre elles n'ont pu avoir accès à l'industrie pour différentes raisons, du manque d'encouragements à la vulgaire discrimination.

Dans la construction, elles occupent moins de 10 % des emplois. Dans le transport logistique... 1,7 %[48] ! La philosophe Michèle Reiser, chargée de réfléchir sur la présence des femmes dans les médias français, note que sur certaines radios, comme NRJ ou Skyrock, 7 % du temps de parole est mobilisé par des femmes, contre 93 % par des hommes[49].

Il n'y a pratiquement pas de femmes (environ 10 %) dans les organes importants des sociétés cotées en bourse, et encore moins à la présidence de ces sociétés (4 %), un petit 4 % qui tombe à zéro le jour où les deux femmes qui constituaient ce 4 % sont remplacées par des hommes ; les pourcentages cachent mieux la vérité que les nombres crus. Pourtant, dans ces pays, le nombre de femmes cadres est de l'ordre de 30 %, ultime évidence du plafond de verre[50].

---

48. Scemama, Corinne, , « Quand je serai grande, je serai commandante », *L'Express international*, n° 2905, 8-14 mars 2007.
49. Reiser, Michelle, *Extraits du rapport sur réflexion sur l'image des femmes dans les médias*, 25 septembre 2008, www.lefigaro.fr/assets/pdf/femme.pdf.
50. *Commission européenne : emploi, affaires sociales et égalité des chances*, http :// ec.europa.eu/employment_social/women_men_stats/indicators_in5_fr.htm

DEUX CONCEPTIONS

Dominique Méda note que le plafond de verre est moins présent aux États-Unis qu'en Suède[51]. Il faut tempérer. Dans certains pays, l'intérêt capitaliste bien senti a souvent le pouvoir de faire tomber des barrières. Au Japon, lorsque les premières femmes chefs d'entreprises sont apparues, dans l'instant, toute la hiérarchie a suivi sans ciller. Les hommes se sont mis à saluer bien bas leurs nouveaux chefs et, dans les rues, les geishas croisaient les tailleurs Chanel. Aux États-Unis, on a vite compris que des femmes dynamiques pouvaient faire des miracles. C'est ainsi que de très grandes entreprises ont nommé des femmes aux postes les plus importants. Mais cela ne fait pas l'égalité. Aux États-Unis, l'application des droits fondamentaux se fait par le recours aux tribunaux. Celles qui en ont les moyens gagnent, les autres perdent.

Au contraire, en Europe, c'est l'idée de changement social, de droits collectifs qui prime. Les progrès sont lents parce que les forteresses conservatrices sont bien ancrées dans les réseaux de pouvoir, mais elles finissent par céder et les progrès s'appliquent ensuite à l'ensemble de la société.

L'économie n'est pas une chose abstraite concrétisée seulement par le marché boursier. Elle résulte de décisions multiples qui forment un ensemble plus ou moins cohérent d'opérations, de constructions, de choix, qui déterminent notre vie quotidienne. En ce sens, la reconstruction des sociétés sera plus efficace que les progrès sectoriels à l'américaine qui ne s'occupent pas de cette reconstruction sociale.

L'inégalité ne finit pas là

Les femmes, à travail égal, sont payées moins que les hommes. Elles occupent aussi la plus grande partie des petits emplois ; c'est dire aussi qu'elles les *assurent*, tout comme des immigrés se chargent des emplois dont nous ne voulons pas.

Non seulement les femmes ne parviennent pas à gagner suffisamment d'argent pour subvenir aux besoins de leur famille, mais elles n'ont souvent aucune possibilité de se sortir de cette

51. Méda, Dominique et Hélène Périvier, *Le deuxième souffle de l'émancipation*, Paris, Seuil, 2007.

situation. C'est le cas de toutes les vendeuses, serveuses, qui travaillent dans des emplois précaires au sein de multinationales géantes, sans aucune sécurité et sans possibilité de promotion. Ce phénomène a été décrit pour les États-Unis dans une époustouflante étude de Barbara Ehrenreich[52], mais il se décline ailleurs sous d'autres formes, même à Montréal[53]. En Pologne, 60 % des chômeurs sont des femmes. Comme c'est aux femmes qu'incombe, dans la plupart des cas, la charge des enfants, les répercussions sur ces derniers sont considérables et constituent, de fait, un problème social majeur. L'état de pauvreté des femmes influe sur leur propre santé et sur celle de leurs enfants, ce qui cause d'autres problèmes sérieux. Nous sommes replacés devant l'urgence de la situation : mettre en œuvre le secours immédiat en même temps que le soutien aux réformes les plus radicales. Il faut tout faire en même temps.

En France et en Allemagne, un enfant sur sept est pauvre. À Berlin, un enfant de moins de 15 ans sur trois est pauvre.

Selon le mode de calcul européen, sept millions de Français gagnent moins de 800 euros par mois. Sept millions, cela représente deux fois le nombre de chômeurs, c'est-à-dire que ces personnes-là gagnent moins que les chômeurs et sont deux fois plus nombreuses. Il s'agit en majorité de personnes seules, de femmes qui élèvent seules leurs enfants et de personnes de moins de 25 ans.

Travailler ne met même pas à l'abri du besoin. Le seuil de pauvreté « européen » est atteint lorsque le revenu est inférieur à 60 % du revenu moyen, ce qui revient en France à 974 euros par mois, ou, déduction faite d'un loyer modique, environ 500 euros. Pour les enfants, les conséquences sont dramatiques : deux millions d'entre eux vivent sous le seuil de pauvreté.

Particulièrement en Amérique du Nord, où cette ségrégation est érigée en dogme économique, il existe un bassin d'emplois peu rémunérés que les femmes occupent : caissières de magasins, « gérantes » ou « associées » des « mart » et des « x-dépôt », employées de bureau, et, au sein même des entreprises de fabrication, les spécialités « féminines » : emballage, nettoyage… Si un Martien débarquait sur la Terre et qu'on lui demandait de juger les êtres humains en fonction des

52. Ehrenreich, Barbara, *L'Amérique pauvre*, coll. Fait et cause, Grasset/10-18, 2005.
53. Bérubé, Nicolas, « L'enfer à la manufacture », *La Presse*, 15 mars 2003.

emplois qu'ils occupent, il dirait à coup sûr que les femmes sont moins compétentes que les hommes, puisque ce sont elles qui assument les emplois qui requièrent le moins de compétences (à part celle de tolérer cette condition) et qui sont les moins bien rémunérés.

Nous sommes ces Martiens, parce que nous jugeons les femmes moins aptes et que nous les payons moins. Avouons-le, nous éprouvons de la gêne lorsque nous rencontrons, dans un bureau, un téléphoniste mâle, et nous n'oserions pas demander à un assistant masculin d'aller chercher du café. La (déplorable) tradition joue un certain rôle, mais la cause principale est sans doute ce sentiment de supériorité des hommes acquis, puis réacquis à chaque génération.

Le silence

Ce qui étonne enfin, c'est le silence qui entoure encore la condition féminine. Ce n'est que le 8 mars que l'on entend Christine Ockrent « avouer », sans vraiment les dénoncer, les abus de pouvoir dont elle-même a été victime, que l'on entend les journalistes nous dire que le problème des femmes est en fait un problème universel, un problème d'hommes, surtout. Le silence des femmes étonne ; on attendrait plutôt de la révolte.

Et la lecture même de l'actualité nous laisse pantois : la loi sur la parité salariale française date de 2006, même si le principe en avait été posé en Europe dès 1957, dans le traité de Rome[54] ! On se remémore la phrase d'André Gorz sur l'importance du dire. Pour qui a connu Mai 68, les hippies, l'acide et l'amour libre, la chose était faite, le combat, terminé. Au contraire, les féministes ont été rejetées, et le féminisme réduit au rang de dogme, comme le communisme.

Au Québec, en mars 2008, la Société des alcools du Québec, société d'État de l'État qui a voté la loi sur la parité, conteste cette même loi[55]. Selon Steve D'Agostino, porte-parole du syndicat du personnel technique et professionnel de la société, la SAQ (en 2008 !) refuse de comparer des postes « à prédominance féminine à ceux occupés par

54. LUCAS, VIOLAINE et BARBARA VILAIN, « Le meilleur de l'Europe pour les femmes », *Le Monde diplomatique*, n° 650, mai 2008.
55. LEMOINE, DOMINIQUE, « Équité salariale : un syndicat de la SAQ paiera de sa poche », *Les Affaires*, 5 mars 2008.

des hommes en entrepôt[56] ». Nous revenons aux débuts du débat sur la parité salariale !... Tout en nous demandant ce que signifie « poste à prédominance féminine » chez un vendeur de vin. Caissière ? Et le poste masculin serait celui de l'employé qui transporte sa caisse de bourgogne en la poussant avec le pied ?

Le gouvernement canadien affiche une gouverneure générale, femme et de peau noire, mais le gouvernement lui-même ne partage pas vraiment le pouvoir avec les femmes, et ses ministres ne sont pas du tout « contrastés », comme on dit en France. C'est du tout blanc masculin, sauf exception.

Cette première ligne d'offensive du pouvoir peut expliquer pourquoi les inégalités ne se règlent que lorsque la situation est critique. L'avortement, quand il était encore illégal en France et ailleurs aussi, était la première cause de décès chez les femmes. Il s'agissait d'un problème de santé national, et il nous apparaît invraisemblable, criminel, qu'autant de pouvoirs se soient ligués pour éviter sa légalisation. Il est facile de comprendre qu'une femme qui a su se tailler une place dans la société des hommes rejette l'idée du féminisme, mais le mouvement est loin d'être ringard.

Il est d'autant plus d'actualité que les hommes n'abandonneront pas facilement le pouvoir. Quelques spécimens qu'il convient de ne pas nommer ont d'ailleurs écrit des livres sur le sujet. L'histoire est simple : la fonction de « tueur » serait nécessaire, même aujourd'hui, dans les affaires, dans les relations internationales, en politique, et les femmes n'auraient pas la capacité d'être des tueuses, sauf exceptions.

Ce qui est déroutant dans cette analyse, c'est que non seulement elle affirme que les femmes ne peuvent agir comme des hommes, mais elle fait de cet instinct de mort une condition nécessaire de la vie sur terre, ce qui est incompatible avec l'idée de démocratie ou de liberté, et nie toute idée de progrès et de droit à la différence.

En d'autres termes, nous serions coincés, prisonniers de nos instincts et, à cause de cela, les femmes ne pourraient jamais accéder à l'égalité. Il faut encore ajouter à cette liste de vulgarisateurs de la condition humaine ceux qui accusent les femmes majoritaires dans

56. « Des employées reprochent à la SAQ de contester la loi sur l'équité salariale », *Argent*, 5 mars 2008. http ://argent.canoe.com/infos/quebec/archives/2008/03/20080305-174722.html

certaines professions de dénaturer leur fonction. Ainsi, les enseignantes auraient une influence néfaste sur les enfants mâles et bâtiraient des armées de jeunes filles, prêtes à en découdre avec les hommes. Une idée intéressante ! Les femmes seraient les seules capables d'élever des enfants à la maison, mais perdraient cette faculté liée à leur genre dès qu'elles pratiqueraient leur art inné en dehors du foyer. C'est dire qu'elles sont bonnes quand elles sont gratuites, mais deviennent mauvaises dès qu'on les paie : un discours d'esclavagiste.

En ce début de XXIe siècle, les entreprises ont le monde pour client, les gouvernants conquièrent les sources d'énergie et les sécurisent en envahissant d'autres pays, les médias d'information contrôlent des continents entiers, les multinationales s'arrogent des monopoles sur les ressources les plus précieuses. Mais la participation égalitaire de tous les citoyens, hommes et femmes, aux décisions concernant l'espèce et la planète n'est toujours pas en vue. Elle commence à peine à l'être dans les pays les plus démocratiques. Où sont les femmes dans cette grande découpe du gâteau ?

Le monde évolue très rapidement et, avec lui, la ségrégation. En Chine, les meurtres de bébés filles représentent un problème colossal ; en Inde les 6 millions d'avortements annuels visent 90 % de fœtus féminins.

Où sont les voix pour dénoncer tout cela ? Tout se fait dans un silence complice. Les injustices ne sont pas le fruit du hasard, elles sont voulues, tolérées, promues tout simplement parce que ceux qui les maintiennent croient y voir leur intérêt, pendant que les femmes se battent pour conquérir leurs droits en marge des gouvernements, de leurs armées, de leur corruption. Essayons seulement d'imaginer ce que peut être une journée sans manger, une seule journée de guerre, une seule journée de viol.

Le syndrome de Montgomery[57]

Au Mexique, la société a abandonné les femmes à leur sort en confortant les hommes dans leur violence. Les deux voitures de tête du métro sont « réservées » aux femmes. De nouvelles lignes d'autobus

57. En hommage à Rosa Parks qui refusa, en 1955 dans cette même ville, de céder sa place dans l'autobus à un Blanc et fut arrêtée pour ce délit. Il fallait un certain courage ! Ce fut le début de la lutte des Afro-Américains avec Martin Luther King.

ont été créées, réservées aux femmes et aux handicapés. L'analogie est flagrante. On enferme les poules pour les protéger du renard, réinventant là une forme de ségrégation de même nature que celle qui était en usage dans le sud des États-Unis. Les Noirs étaient en sécurité dans leurs ghettos, disaient les racistes. De telles mesures ne peuvent que relancer la guerre contre les femmes.

La sexualité, un gain, une révolution modèle

Pour paraphraser André Malraux, nous pourrions dire que le XXIe siècle sera celui de la victoire de la sexualité sur la religion ou ne sera pas. Il nous permettra au moins de mesurer l'ampleur de la révolution des relations interpersonnelles entre les femmes et les hommes dans le nouveau cadre de l'égalité.

Loin d'être une distraction parmi d'autres, la sexualité est au cœur des relations humaines. Elle module la reproduction, les droits des femmes, la famille, les relations de couple, la violence. C'est un élément révélateur de la domination. Pour Michel Onfray (aussi), l'histoire de la sexualité humaine est catastrophique[58].

La liberté sexuelle et l'avortement ont été à la base des mouvements féministes. Ce n'est pas un hasard. C'est sans doute dans la Norvège pauvre de la fin du XIXe siècle que cette analyse a été réalisée avec acuité pour la première fois, alors qu'une émigration importante des hommes a provoqué une augmentation de la prostitution, une profusion de naissances hors mariage et une remise en question du couple. C'est là que le débat sur la double morale, une pour les hommes, une pour les femmes, s'est fait *in vivo*. Les artistes et penseurs de la Bohème de Kristiana (Oslo) ont alors opposé l'amour libre au mariage comme base de la société. Quelques années auparavant, les écrivains norvégiens avaient défendu la cause des femmes en rapport avec la pauvreté et avec l'éducation qui ne visait qu'à les conduire au mariage, une idée fixe des réactionnaires norvégiens qui, jusque dans les années 1920, voulaient que les femmes apprennent à tenir maison. Pour eux, ces tâches n'étaient pas innées chez les femmes et il fallait les leur enseigner.

58. Onfray, Michel, *Le souci des plaisirs*, Paris, Flammarion, 2008.

C'est peut-être ce qui inspira à Simone de Beauvoir son fameux « On ne naît pas femme, on le devient ! »

L'histoire de la sexualité montre une pratique que l'on peut qualifier de brutale, plutôt passive et fonctionnelle pour les femmes, axée sur le plaisir et la domination pour les hommes. Même chez les Grecs, la femme était passive et l'homme, actif. Pour eux, il s'agissait surtout de répondre à des besoins masculins et le décodage pré-freudien des formes des sexes justifiait, en quelque sorte, l'idée que la femme devait recevoir l'homme et que lui devait pénétrer la femme. La notion de plaisir, quand elle existait et à condition qu'elle fût acceptée, n'allait pas beaucoup plus loin que le simulacre de la fécondation.

L'Église chrétienne s'est largement inspirée de ces préceptes exprimés dans la littérature grecque, selon Michel Foucault, auteur d'une *Histoire de la sexualité*[59]. Le terme même de sexualité n'apparaîtra qu'au début du XVIIIe siècle, marquant en quelque sorte le début des grands bouleversements modernes.

Si les Grecs avaient établi des règles de vie, édictées par leurs philosophes, le reste de l'histoire a durci le caractère de domination des rapports sexuels. Le viol, l'inceste, le droit de cuissage, le commerce des femmes en vue d'obtenir des avantages, y compris dans les grandes familles agricoles et industrielles, les mariages « de raison », l'absence de plaisir des femmes, tout cela est devenu la norme. Michel Foucault nous rappelle que l'éthique de la sexualité a toujours été déterminée par les hommes. Les gynécées de Chine, les harems, nous montrent des femmes dans l'attente, gardées, des femmes mises à la disposition d'un seigneur, dans le décor de la funèbre trilogie de l'histoire de l'homme : avoirs, pouvoir et femmes[60].

Les rapports charnels entre adultes et jeunes hommes, courants chez les Grecs, n'avaient pas réellement de caractère homosexuel, mais plutôt un caractère d'intronisation, de jeux d'initiation et de plaisir, comme ceux qu'ont pu connaître les jeunes étudiants dans les dortoirs de nos écoles durant les années 1960.

Le plaisir a toujours été considéré comme périlleux, mais l'idée principale était bien de forcer la reproduction, ce que l'Église fait depuis des siècles.

---

59. Foucault, Michel, *Histoire de la sexualité*, Paris, NRF Gallimard, 1984.
60. Xueqin, Cao, *Le rêve dans le pavillon rouge*, Paris, Gallimard, 1981.

Les féministes radicales ont contourné cette peur pour revendiquer le plaisir sans reproduction[61].

Dans les années 1960, des femmes ont brûlé leur soutien-gorge, marquant la fin de la poitrine « soutenue » pour le regard des hommes. Les bien-pensants y voyaient une provocation, une marque de débauche.

Cette « libération sexuelle » a profondément modifié les relations entre les femmes et les hommes.

Au moment où le port du voile est présenté comme une garantie de moralité, les jeunes filles montrent leur nombril. Elles seraient victimes d'une société qui se refait dans ses médias une jeunesse que tout le monde a déjà perdue.

En réalité, ces jeunes filles, qui s'habillent « comme des prostituées » selon certains parents, sont intelligentes, plus lucides que leurs ancêtres. Dans les collèges privés, elles roulent leur jupe d'uniforme pour montrer un peu plus de jambe, ce qui ne fait pas d'elles des suppôts de Satan. L'affirmation sexuelle est aussi une affirmation sociale.

Ces comportements des jeunes filles, même s'ils constituent des parades, ne sont pas incompatibles avec des rapports égalitaires entre les femmes et les hommes. Au contraire, ils les préfigurent et établissent enfin une nouvelle définition du respect. Là où rien ne va plus, c'est lorsque les femmes, telles des esclaves, implorent l'amour d'hommes déjantés en leur consentant des faveurs sexuelles qui ont peu à voir avec le plaisir et tout avec la célébration de la puissance mâle : de la confiture à des cochons. C'est une question d'éducation, pas d'image.

Une autre curiosité du pouvoir masculin, c'est l'idée que c'est la femme (Ève) qui est infidèle et entraîne l'homme (Adam) à l'être. Cette idée biblique est pourtant née bien avant la Bible. Partant du principe que les femmes assurent le renouvellement et l'expansion de l'espèce, il n'était pas question de leur laisser une quelconque liberté.

Sous des apparences modernes, ce véritable voile de verre, voile transparent, fait plutôt penser aux intégrismes religieux qui chargent les femmes de toutes les turpitudes masculines et, partant, les confinent à une morale qui n'a de but réel que la conservation du pouvoir.

61. L'un des slogans des Guerilla Girls : « Jouir plutôt que reproduire ».

Dans ce système, la femme, c'est la tentation, c'est Satan ; l'homme, c'est la raison. Pourquoi ne serait-ce pas le contraire ?

Un tableau de Carle Van Loo montre « La raison contenant la force ». La raison, c'est une femme, et la force, un lion. Il faut certainement revoir nos préjugés. L'éclairage des années beatniks, hippies, de Mai 68, suivi, quelques années plus tard en France, par la loi sur l'avortement[62], devrait nous éviter de saboter une révolution qui n'apporterait que des bénéfices.

Il faut sans doute revoir nos idées reçues, jugements comparables à ce que nous entendions dans les années 1960 sur « l'amour libre » et la débauche, et avant cela, en 1900. Ce ne sont pas les jeunes, ni les très jeunes filles habillées légèrement qu'il faut surveiller, mais bien plutôt le comportement des garçons qui sont responsables des grossesses d'adolescentes[63] et des violences et certainement l'éducation des deux. En hausse dans les années 1990, le taux de ces grossesses retombe maintenant au niveau des chiffres de 1985, ce qui pourrait indiquer que l'hypersexualisation récente que craignait tant Aldous Huxley n'a pas les conséquences que l'on redoute.

Ne nous laissons cependant pas impressionner par quelques images d'une sexualité moderne, épanouie et égalitaire que nous apercevons ici et là : c'est une tendance, peut-être, mais la sexualité est toujours misérable aujourd'hui, même si elle l'est un peu moins. Ce qui inquiète Ariane Émond, co-fondatrice du magazine québécois *La vie en rose*, c'est d'abord « [...] le retour en force de la contrainte et de l'inconfort dans l'apprentissage sexuel, sans doute le miroir à peine déformé de ce qui se passe dans la chambre de bien des adultes[64]. »

Bien des femmes se souviendront d'une visite chez un gynécologue masculin qui insistait pour que le traitement d'une maladie vénérienne soit douloureux. L'époque est peut-être révolue mais pas la mentalité.

En clair, cela signifie que nous acceptons l'égalité, mais à certaines conditions : les femmes ne peuvent s'habiller comme elles le veulent, leur comportement doit rester « honorable »... En bref, nous rêvons

---

62. Mais il a fallu plusieurs années pour faire adopter la loi.
63. Le taux de grossesses d'adolescentes (14-17 ans) varie peu. À Montréal, il est 50 % plus élevé que dans le reste de la province. « 5.4 Taux de grossesse à l'adolescence », Éco-santé Québec, 20 février 2007, www. ecosante.fr/QUEBFRA/504000.html
64. Émond, Ariane, « Ceci n'est pas qu'une pipe ! », *Le Devoir*, 8 mars 2008.

d'une révolution égalitaire en tailleur Chanel, d'une sexualité féminine à l'usage des hommes. Un homme soûl, oui, une femme soûle, non.

Pour les Grecs, l'homme qui ne se maîtrise pas est un homme mou, paresseux, qui aime les parfums… Le bon Aristote énonçait que l'homme « possède la vertu éthique dans sa plénitude » et qu'il suffit aux gouvernés et à la femme d'avoir « la somme de vertu qui est appropriée à chacun d'eux. » La tempérance et le courage sont chez l'homme vertu pleine et entière, tandis que pour la femme, ce sont des vertus de subordination[65].

Nous vivrons, tout au long de l'Histoire, avec des principes en apparence tirés de l'expérience, mais issus en réalité d'un esprit de domination et d'une méconnaissance de la réalité. L'humanité n'a pas d'expérience dans ce domaine : elle a ignoré les animaux et les indigènes, et n'a considéré les femmes qu'en termes de simples réceptacles à semence, sauf rares exceptions parmi des initiés et des artistes.

On retrouve de tels raisonnements chez des philosophes comme Hume ou Grotius[66]. Même Tocqueville y va de son explication sur la soumission des femmes américaines à leur chef de mari. Seul John Stuart Mill[67] exposera clairement une vision de l'égalité compatible avec celle des féministes modernes, précédé en cela, souligne Simone de Beauvoir[68], par François Poullain de la Barre qui publie, en 1673, *De l'égalité des sexes, discours physique et moral où l'on voit l'importance de se défaire des préjugés…*

Mais la vraie Mill, c'était Harriet Taylor, sa compagne. John Stuart croyait que le travail (rémunéré) des femmes nuirait à leurs tâches domestiques : « le soin qu'elle ne pourra pas prendre des enfants et du ménage, personne ne le prend » (précurseur du fameux « mais qui va garder les enfants ? » lancé à Ségolène Royal). Harriet Taylor affirmait plutôt que le travail élèverait les femmes du rang de servante à celui de partenaire. L'histoire, comme toujours, a oublié la visionnaire.

---

65. Foucault, Michel, *Histoire de la sexualité*, Paris, NRF Gallimard, 1984, tome 2, p. 97, et Aristote, *Politique*, I,13,1 260a.
66. Piotte, Jean-Marc, *Les grands penseurs du monde occidental*, Montréal, Fides.
67. Stuart Mill,John, *On Liberty and Other Writings*, Cambridge University Press, 1859.
68. de Beauvoir, Simone, *Le deuxième sexe*, chap. XIV, « La femme indépendante », Paris, Gallimard, 1947.

C'est une féministe anglaise, Mary Wollstonecraft, à la fin du XVIIIe siècle, qui a, pour la première fois de notre histoire moderne, comparé les femmes mariées à des prostituées.

Le mouvement de libération des femmes, la pilule anticonceptionnelle, l'avortement et, surtout, de la part des femmes, des retrouvailles avec la liberté, ont véritablement fait exploser la sexualité, non seulement à partir de la puberté, mais jusqu'à un âge où les hommes ont dû, à leur tour, médicaliser leur libido avec le Viagra afin qu'elle persiste jusqu'à la fin de la vie, ce qui était rarissime et tabou auparavant. Cette prolongation de la sexualité masculine est survenue au moment même où la sexualité des femmes âgées s'est enfin découverte. Heureux hasard ?

Si, aujourd'hui encore, les grossesses non désirées, la violence et la domination sont le lot d'un nombre considérable de femmes, ce ne sont plus désormais les hommes seuls qui déterminent les relations et ils ont tout à gagner à laisser parler leurs partenaires. Mais pour reconstruire une société égalitaire, les hommes devront ouvrir leurs horizons, cesser de se poser en victimes de femmes castratrices et passer rapidement de l'ère de l'homme rose à celle de l'homme universel.

Dans l'imaginaire masculin, il existe des légendes ahurissantes sur la manière de dominer sexuellement une femme pour « se l'attacher » ! Ces images fantastiques se retrouvent aujourd'hui dans une pornographie de masse qui se développe en parallèle avec la libéralisation des mœurs, un repli qui témoigne d'une misère affective omniprésente et de la crainte d'une information sincère.

Un documentaire des années 1930 sur Joséphine Baker montre des jeunes femmes aux seins nus dans un *dancing* de Montparnasse, entourées de centaines d'hommes qui veulent les toucher. Ils n'ont rien à y gagner, ils veulent tâter sans bien savoir pourquoi, mais leur comportement est frénétique, dicté par cet imaginaire de l'ignorance dont nous souffrons tous. Cinq ou six décennies plus tard, la vue de seins nus ne provoque plus de telles manifestations, et des femmes revendiquent cette liberté que seuls les hommes possèdent.

En septembre 2007, une jeune Suédoise, Ragnhild Karlsson, fonde, avec Atsrid Hellroth, le mouvement « Bara Bröst[69] » (juste des seins).

---

69. Hivert, Anne-Françoise, « Commandos des seins nus dans les piscines suédoises », *Libération*, 22 novembre 2007. www.liberation.fr/vous/292997.FR.php

Elles croient que le fait de cacher les seins, particulièrement en publicité, constitue une sexualisation du corps de la femme et un facteur important de discrimination.

Est-il possible d'éviter de rapprocher cette censure de la poitrine féminine du concept de la disparition du corps des femmes dans certains pays islamistes ? Les directeurs des piscines suédoises invoquent d'ailleurs « la sécurité des jeunes femmes » pour leur refuser l'entrée si elles sont vêtues d'un maillot « masculin ». Les Suédoises, suivies récemment par les parisiennes « Tumul-tueuses », demandent que l'on ne punisse pas la victime à la place du coupable : nous sommes encore à Montgomery et dans les bus mexicains.

À Montréal, dans les années 1980, des femmes ont revendiqué le droit de jouer au tennis torse nu, comme les hommes. La réplique ne s'est pas fait attendre : l'administration municipale a rendu obligatoire le port d'un vêtement sur le torse pour tous, mais il reste que, dans les rues de Montréal et maintenant de Paris, durant tout l'été, d'horribles yetis se promènent en toute impunité, le torse et le ventre exposés... Une double morale.

LE STRING ET LE FOULARD

Un rapport sur l'hypersexualisation de l'espace public sur les jeunes[70] jette le blâme sur les médias et le milieu de la publicité qui exploitent le corps des femmes et enferment les jeunes filles dans la prison traditionnelle de la séduction et de leur rôle de pourvoyeuses de plaisir aux mâles.

Dans les clips, dans la publicité, c'est effectivement le message transmis. Il rend mal à l'aise toutes les femmes et a des conséquences néfastes sur les adolescentes qui font leur entrée dans la vie. Comme autrefois, on leur suggère de développer leurs capacités à attirer les mâles plus que celles dont elles ont besoin pour réaliser leurs rêves : devenir ingénieur, pilote, PDG...Simultanément, d'autres modèles viennent contredire cette perception : Madonna, entre autres, offre

70. *Conseil du statut de la femme*,« Le sexe dans les médias : obstacle aux rapports égalitaires », 11 juin 2008. http ://www.csf.gouv.qc.ca/fr/communiques/ ?F=affiche&id=280

l'exemple d'une femme moderne, qui a réussi et qui s'est réappropriée l'image de la séductrice...
Il ne faut enfin pas confondre le souci de l'apparence physique et l'exploitation du corps de la femme. Ce sont deux choses aussi différentes et opposées que l'habillement et le viol. Ce n'est pas parce qu'une femme est habillée court ou, comme un homme, qu'elle se fait bronzer torse nu, que cela suggère qu'il soit permis de la violer. *No means no*, toujours.

La revue *Psychology Today* nous apprend que plusieurs fantasmes tabous sont normaux[71]. Parmi eux, l'ambition nulle, la préférence pour un de ses enfants ou le désir de s'habiller en « bimbo ». Après tout, les hommes se prennent bien pour des champions de course automobile dans leur nouvelle auto. La revue sous-titre : « Les inclinations noires ont leur propre logique et leurs propres bénéfices ».

Les femmes ont le droit d'adopter le comportement vestimentaire qu'elles désirent, même si les hommes pensent qu'il peut représenter une marque de soumission. Là-dessus, il ne doit exister aucun doute : la liberté et l'égalité sont un même combat. Déjà, en 1965, une lectrice, de Paris Match, répondait à une autre : « Si Madame Gallagbe [...] n'aime pas les jupes ultra-courtes, nous, les jeunes, en revanche, nous les adorons et remercions les grands couturiers d'avoir cette année raccourci robes et jupes, découvrant les genoux[72]. »

Une musicienne de renom racontait comment, à l'âge de 20 ans, avec sa copine, elles se promenaient en minijupe, sans sous-vêtements, sur l'artère principale de Montréal. Un sentiment de liberté, comme le nudisme, et c'était leur droit le plus strict. Il faut bien que le corps exulte, disait Jacques Brel.

Ce qui est misérable, par contre, c'est l'acharnement des ministres de l'Éducation à faire entrer dans les écoles l'enseignement de la religion par le biais de la morale, au lieu de s'occuper de la misère affective et sexuelle des élèves : des jeunes filles de 18 ans qui en sont à leur troisième avortement, des enfants prostitués...

---

71. McGowan, Kathleen, « Typically Twisted », *Psychology Today*, juillet-août 2008.
72. *Paris Match*, n° 840, 1er mai 1965.

Faute de mieux, c'est la pornographie qui s'occupe de l'éducation sexuelle des citoyens[73], comme autrefois les prostituées s'occupaient de celle des jeunes mâles.

Ainsi, lorsque les statistiques nous informent que les filles qui ont eu des relations sexuelles avant l'âge de 14 ans[74] connaissent plus d'épisodes de violence que celles qui ont eu des relations après cet âge, qui faut-il blâmer ? les filles, ou les garçons qui les battent ? La révolution des mœurs a fait sortir les femmes de la prison sexuelle dans laquelle les hommes les avaient enfermées. Désormais, elles définiront elles-mêmes les nouvelles règles et, surtout, cesseront d'être agressées pour l'avoir fait.

Des étudesnotent l'existence de nouveaux rites à caractère sexuel chez les jeunes[75]. Par exemple, la « danse-sandwich », qui inquiète tant les parents, les éducateurs et les sociologues. Pourtant, existent aussi les *raves*, les discothèques « *after hours* » où l'on danse toute la nuit dans un climat pacifique. Le toucher, le frôlement ne signifie plus que la femme est ouverte à un rapport sexuel ; il s'agit simplement d'un moment de douceur, « un bel exemple de relations égalitaires », comme le disaient des jeunes hommes interrogés, sans doute parce que, dans leur esprit, il n'y a plus de domination sexuelle dans ce genre de relations. Certaines drogues, comme l'ectasy, favorisent ce climat.

La pression très forte exercée sur les jeunes filles par les jeunes hommes à l'école est un autre problème dont il faut s'occuper de manière urgente. Il s'agit d'une manifestation de domination inacceptable. Mais les lentes autorités ont déjà sur leur bureau la violence, la drogue, les grossesses d'adolescentes et, jusqu'en 2001, refusaient de laisser entrer les machines distributrices de condoms dans les écoles secondaires...

---

73. Bissonette, Sophie, *Sexy Inc., nos enfants sous influence*, Montréal, ONF, 2007. Lessard, Denis, « L'hypersexualisation des médias : lourde de conséquences », *La Presse*, 9 juin 2008. Dans cet article, l'auteur écrit que « la télévision, les vidéoclips et Internet ont vite joué un rôle d'éducateur sexuel substitut », mais substitut à quoi ? Au vide.
74. Au Québec, selon Statistique Canada, 21 % des filles contre 16 % des garçons de 14-15 ans auraient eu des relations sexuelles. La raison de cette différence : le manque d'estime de soi.
75. Lavoie, Francine, *La Presse*, 6 mai 2008, p. A16.

Traduisons que ces pressions masculines se résorbent et que les pratiques douces, cette résurgence des contacts physiques, apparaissent comme un progrès. L'apprentissage de la sexualité libre et consentie passe par des phases au cours desquelles les femmes sont encore et toujours poussées à poser des gestes qu'elles n'auraient pas posés autrement, mais les hommes évoluent plus vite qu'à l'époque où les femmes étaient enturbannées et les crimes sexuels, ignorés.

La conséquence de cette arrivée des femmes dans le monde de la sexualité et des relations bilatérales, c'est sans doute aussi ce nouveau principe de ne plus tolérer aucune forme de violence, même verbale. Alors qu'auparavant les colères étaient presque un signe d'autorité, elles sont devenues un problème de comportement. Même si l'on reconnaît la valeur des individus « entiers », la rudesse dans les relations n'est plus une manière acceptable de vivre. Cela ne signifie pas que l'on ne puisse refuser d'agir quand il le faut, c'est simplement qu'il est maintenant possible d'avoir des relations plus saines, moins conflictuelles et tout aussi fermes et efficaces. La raison contient la force. Même la colère y gagnera.

La violence : les interviews des femmes

Nous avons interviewé plusieurs femmes pour comprendre comment se fait l'entrée dans la vie, le départ de la maison familiale, la fondation de la famille, et quelle est la généalogie de la violence[76].

Nous commençons seulement à comprendre que la violence est endémique. Il n'y a pas que la violence physique. Récemment, nous avons découvert dans nos sociétés une violence psychologique, le harcèlement, une pratique ancienne dénoncée par les féministes modernes[77].

Nous avons parlé de cette sorte de « matière noire » qui, comme en astrophysique, est partout présente mais difficilement identifiable. Elle se manifeste à l'école, dans les garderies, dans tous les lieux où la différence entre les femmes et les hommes est présentée comme

---

76. Lapassade, Georges, *L'Entrée dans la vie*, coll. Anthropos Exploration Interculturelle, Paris, Economica, 1997.
77. Hirigoyen, Marie-France, *Le harcèlement moral. La violence perverse au quotidien*, coll. Pocket, Paris, Pocket, 1998.

un défaut des femmes, comme une nuisance, une gêne, une crainte. C'est un effet d'exclusion certainement comparable à celui qui touche les autres exclus. Tous n'en souffrent pas de la même manière, mais il faut y voir au moins l'une des raisons de ce sentiment de culpabilité et de cette faible estime de soi que l'on prête aux femmes et aux exclus. La différence réside peut-être dans cette aptitude qu'ont les femmes à vivre dans le concret et dans le temps présent et à se sortir de toutes les situations qui décourageraient quantité d'hommes.

Il est caractéristique que notre époque voit beaucoup d'hommes se sentir dévirilisés par des femmes castratrices. Cela devrait être un indice de ce que ressentent les femmes qui sont continuellement « conseillées » par leurs pairs mâles. Parallèlement, les psychologues disent à leurs clients « d'assumer leur rôle d'homme ». Il ne faut pas lâcher !

Christiane, une femme interviewée, résume ainsi l'ambiance qui régnait chez elle : « À l'école, j'étais préoccupée par autre chose que ce qui se passait dans la classe. J'étais préoccupée beaucoup par ce qui se passait chez nous à la maison, parce qu'il y avait beaucoup de garçons. Les soirs, c'était un peu la terreur, il se passait beaucoup de choses. Juste aller aux toilettes. J'étais une enfant qui était longue à devenir propre parce que j'avais peur d'aller aux toilettes, parce qu'il y avait beaucoup de monde et j'avais peur de ce qui était pour se passer. J'ai vécu l'abus, l'abus sexuel, assez jeune. La première fois, j'avais à peu près 12 ans. »

Mais l'on pourrait dire sans se tromper que l'abus a commencé dès sa plus tendre enfance, et que celui auquel elle fait allusion n'était en somme que l'aboutissement prévisible d'un mode de vie basé sur la domination masculine. « Il se passait des choses, des choses dans l'ordre de l'inconscient » ajoute-t-elle, résumant ainsi plusieurs témoignages.

Les femmes naissent dominées, poursuivies par les mâles. C'est aussi cela, le célèbre « on ne naît pas femme, on le devient » de Simone de Beauvoir.

Elles subissent au quotidien les insultes, les quolibets, le langage dévalorisant des hommes qui se transmet de génération en génération, par les multiples canaux sociaux : école, médias, parents, copains. Le plus souvent, elles comprennent que les critiques sont justifiées parce qu'elles ne parviennent pas à faire ce dont les hommes les disent incapables (performance physique, jeux) et ne valorisent jamais leurs propres qualités : finesse, réflexion, aptitude au changement. C'est dans ce domaine que la domination est la plus perverse. Elle contraint les femmes à se demander ce qu'elles devraient faire pour être les égales des hommes, mais pas ce que les hommes devraient faire pour devenir leurs égaux à elles. Citons une directrice des ressources humaines : « les hommes se trouvent beaux, c'est vrai. Les femmes ont toujours un sens critique envers elles-mêmes très aiguisé. Il y a toujours quelque chose qui ne va pas. »

Si un tel système paraît efficace dans le règne animal, où la nature contrôle et régularise, il devient intolérable dans le cadre du progrès humain, où c'est l'humain qui prétend contrôler et équilibrer les forces. Nous avons profondément transformé la nature, à commencer par notre nature propre. Nombre de nos comportements, de fonctionnels qu'ils étaient à l'état sauvage, comme l'usage de la force, sont devenus nuisibles et peuvent nous mener à un suicide collectif, en ce qui a trait à l'agressivité, à la guerre, à la sexualité, à la transformation physique des éléments et à la maîtrise de l'énergie, ce qui couvre en fait l'ensemble de nos activités !

Christiane poursuit : « Il ne m'a pas violée, j'ai été abusée, cela fait une différence. Je te parle de trahison, je suis toujours dans l'analyse en même temps. Je pense qu'il y a eu trahison. Avant, je ne me souviens pas, je ne peux pas mettre le doigt dessus. Tantôt, je te disais qu'il y avait eu des abus que j'ai vécus, des abus sexuels. [Tout cela] a fait que l'homme, j'étais en guerre avec lui. »

Et elle ajoute : « L'abus, pour moi, je l'ai vécu de cette façon-là. D'après moi, il y a eu autre chose avant et si j'ai été en guerre, c'est pas seulement parce qu'il y a eu cet abus-là. Il y a certainement eu autre chose avant, ce n'est peut-être même pas un abus sexuel. »

C'est troublant de rencontrer ce schéma chez un nombre important de femmes. Une peur des souterrains, des lieux déserts, et cette pensée récurrente : « Il ne faut pas se placer dans une position pour que quelque chose arrive ». Cette « autre chose » que l'on ne parvient pas à identifier mais qui vous colle la crainte et parfois l'aversion pour les hommes. Pourquoi la presque totalité des femmes éprouvent-elles cette crainte[78] ?

---

78. Selon la loufoque théorie de la « fausse mémoire », pendant moderne de la théorie de l'hystérie du XIXe siècle, les femmes croiraient se rappeler d'incidents violents

Les études sur la situation exacte de la condition féminine dans les pays développés commencent seulement à prendre leur vitesse de croisière. C'est surtout au cours des années 1990 qu'elles ont été menées, et les premiers résultats montraient qu'environ 25 % à 30 % des femmes avaient été victimes de violence au cours de leur vie dans « nos » pays : Pays-Bas, Canada, Finlande, États-Unis, Royaume-Uni, Norvège, France, Japon[79]. Cela signifie que lorsque vous entrez dans un magasin, sur une dizaine de clientes, trois ont déjà été battues au cours de leur vie.

En Israël, une étude a recensé 20 % de femmes abusées. Pour le Japon, c'est 60 % d'un échantillon de femmes qui déclarent avoir été victimes de violence. Selon les pays, les formes de violence varient, de l'agression verbale au viol et au meurtre.

Il suffit de remettre ne serait-ce que le harcèlement dans le contexte de l'entreprise pour comprendre l'impact de cette violence sur l'accès des femmes au pouvoir, et ses conséquences économiques et sociales. Dans la vie familiale, des paroles en apparence anodines peuvent, dans la durée, détruire l'estime de soi de la plupart des adultes, comme elle a détruit celle de générations d'enfants. C'est un important marquage social dont on ne soupçonne pas la force de destruction.

En 2006, 905 000 mineurs de 15 ans, dont 91 000 bébés de moins d'un an, ont été maltraités aux États-Unis[80]. Selon un rapport du Solliciteur général du Canada, 97 % des Américains ont subi des punitions corporelles.

Le journal *Le Monde* cite l'Observatoire national de l'action sociale décentralisée qui indique qu'en 2005, en France, 20 000 enfants ont été maltraités. On ne peut pas espérer éradiquer la violence si on la fait subir aux individus dès leur plus jeune âge.

UN CANCER GÉNÉRALISÉ

Pour les Européennes âgées de 16 à 44 ans, les brutalités sont devenues la première cause d'invalidité et de mortalité, avant même

---

qui n'ont pas eu lieu. Ce mal n'atteignant que les femmes, les hommes n'ont contracté aucune crainte de passer seuls, la nuit, à pied sous un viaduc.

79. Inchauspé, Irène, « Le calvaire des femmes battues », *Le Point*, 8 août 2003.

80. Gélie, Philippe, *Le Figaro*, 7 avril 2008.

les accidents de la route ou le cancer... Au Portugal, 52 % des femmes disent avoir été l'objet de violences. Un rapport du Conseil de l'Europe indique que « l'incidence de la violence domestique semble même augmenter avec les revenus et le niveau d'instruction ». Le même rapport souligne qu'aux Pays-Bas, « presque la moitié de tous les auteurs d'actes de violence à l'égard des femmes sont titulaires d'un diplôme universitaire[81] ».

En France, le rapport Henrion note, parmi les auteurs de ces crimes, une proportion hallucinante de cadres (67 %), de professionnels de la santé, d'officiers de police ou de l'armée[82].

L'ONU, selon son secrétaire général Kofi Annan et suite à une enquête dans 71 pays, calcule qu'une femme sur trois, en moyenne, est victime de violence physique, sexuelle ou psychologique. Entre 40 % et 70 % des femmes assassinées le sont par leur mari en Australie, au Canada, en Israël et aux États-Unis[83].

Dans un précédent livre, nous indiquions qu'« [a]u Québec, comme dans la plupart des pays, les femmes ont peur, cela se sent. L'un des critères de femmes pour juger une ville est de pouvoir y circuler le soir . Comme autrefois chaque Américain connaissait quelqu'un qui avait été blessé ou tué au Vietnam, chacun ici connaît des femmes qui ont été victimes de viol ou de violence masculine grave, dans un souterrain, à la maison, au bureau... Même si nous ne sommes pas tous violents, nous acceptons la violence par notre comportement[84]. »

Un rapport de l'OMS indique que « [l]ors d'enquêtes à travers le monde, entre 10 % et 69 % des femmes ont déclaré avoir fait l'objet de violence de la part de leur partenaire masculin à un moment ou à un autre[85]. » Mais la violence n'est pas que l'apanage des conjoints :

---

81. KELTOSOVA, OLGA, *Rapport à l'Assemblée parlementaire sur les violences domestiques*, Conseil de l'Europe, Strasbourg, septembre 2002.
82. HENRION, ROGER, « Les femmes victimes de violences conjugales, le rôle des professionnels de la santé », Ministère de la santé, février 2001, www.sante.gouv.fr/htm/actu/violence/
83. RAMONET, IGNACIO, « Violences mâles », *Le Monde diplomatique*, juillet 2004.
84. COGNARD, ALAIN, *La Belle Province des satisfaits*, Montréal, VLB éditeur, 2003, p. 137.
85. KRUG, ÉTIENNE G., LINDA L. DAHLBERG, JAMES A. MERCY, ANTHONY ZWI ET RAFAEL LOZANO-ASCENCIO, Rapport mondial sur la violence et la santé, OMS, Genève, 2002.

à l'école, dans la famille, de telles violences sont très fréquentes. On n'en connaît pas réellement les causes. Certaines ne sont révélées qu'après des décennies de souffrance et de dysfonctionnement pour les victimes.

« Aucun facteur n'explique à lui seul pourquoi telle personne et non pas telle autre a un comportement violent[86]. » Enfin, selon le même rapport, une très forte proportion d'hommes et de femmes jugent normale la violence envers les femmes pour des raisons absurdes – si tant est que de bonnes raisons puissent exister : avoir refusé des relations sexuelles, avoir négligé de préparer le repas à temps, avoir « répondu » à l'homme, etc.

Les enfants qui naissent et vivent dans ces milieux pratiqueront à leur manière, quand ils seront adultes, les relations interpersonnelles, le commerce, le travail. Ils transformeront les comportements selon un programme qu'il nous est difficile de prévoir. Les guerres du XXe siècle ont sorti les femmes du foyer et leur ont permis de s'affirmer comme citoyennes, mais au prix de douleurs profondes et de haines entretenues. Malgré des avancées certaines, les femmes n'ont jamais été tant battues, méprisées, pauvres.

Puisque nous sommes dans un état des lieux, il convient de différencier la violence des hommes de celle des femmes. La violence envers les femmes n'est pas une violence « ordinaire », elle ne s'inscrit pas dans le quotidien d'êtres égaux qui vivent des situations difficiles, mais bien plutôt dans l'esprit de l'inégalité, dans l'absence de respect, dans la négation de la femme.

Il existe de nombreuses tentatives d'assimiler les deux formes de violence, mais les différences sont troublantes.

Malgré ce que l'on entend le plus souvent dans les médias, les femmes tuent autant d'enfants que les hommes, mais pour des raisons différentes. Les hommes « liquident » leur vie commune en faisant disparaître femme et enfants, souvent en se suicidant par la suite puisqu'il n'existe plus alors de possibilité d'entreprendre une autre vie.

Au contraire des hommes, les femmes violentes utilisent rarement des armes à feu. Les hommes sont capables du contact physique, ils peuvent étrangler la personne avec laquelle ils ont vécu.

---

86. *Ibid.*

Cette violence surprend parce qu'elle est le fait de personnes apparemment « normales », comme si ces hommes croyaient détenir, pendant quelques secondes, le pouvoir de punir, de faire et de défaire des vies.

La violence des femmes qui nous est présentée dans les médias est une violence « ordinaire », de celle que l'on peut voir chez des adolescents, ou chez des hommes qui ne sont peut-être pas violents envers les femmes. C'est une violence sauvage, qui monte tranquillement à cause d'une incapacité de communiquer ou de se faire entendre et qui se libère d'un seul coup. Quand des femmes tuent leur conjoint, c'est souvent aussi pour mettre fin aux violences qu'il leur a fait subir.

Les femmes qui subissent la violence de leur conjoint ressentent une culpabilité et des sentiments confus qui les rendent incapables de se sortir de cette situation. Inconscient collectif, héritage social, elles n'ont jamais, pour la plupart, le ressort nécessaire ni même les ressources pour quitter le couple, alors que les hommes ne transportent pas le même bagage social. Le lot de ces femmes, c'est le centre d'accueil anonyme, la peur d'être retrouvée, et l'urgence d'acquérir une nouvelle identité au plus vite, pas seulement pour ne pas être retrouvées, mais aussi parce qu'elles ne peuvent que détester ce qu'elles ont été.

Les pays occidentaux ont commencé à inventer des moyens de pallier ces difficultés. Certains pays nordiques vont jusqu'à donner une nouvelle identité civile à des femmes menacées par leur mari et à les « reclasser » dans d'autres villes plutôt que de les voir résignées. Ces avancées ingénieuses laissent pourtant le plein fardeau des inconvénients aux femmes et aux enfants déplacés.

La violence des hommes nous semble beaucoup plus profondément ancrée dans une sorte de patron collectif qui dévalorise la femme, qui consacre la supériorité de l'homme et un droit général de cuissage sur le sexe opposé ; une arrogance millénaire, en quelque sorte. Elle est l'expression d'un pouvoir, d'une négation de la femme comme être humain égal. Elle évoque une charge émotive latente qui est l'essence même du pouvoir.

Les crimes contre les femmes ne sont pas des crimes ordinaires, ils sont l'équivalent des crimes racistes parce qu'ils sont commis par des personnes qui croient que leur victime a tort parce qu'elle est une femme. Et de la part des femmes, aujourd'hui encore, existe une culpabilité qui les porte à croire qu'elles ont mérité cette violence ; elles se sentent inférieures, dépendantes, soumises à une intelligence supérieure qui pourrait juger de leurs actes, prononcer des verdicts et les exécuter.

Aujourd'hui, en France, une association refait les enquêtes sur la violence parce qu'elle s'est rendu compte que la peur et la honte qui s'ajoutent aux mauvais traitements empêchent les femmes de témoigner, ce qui fausse considérablement les statistiques. On estime officiellement qu'une seule femme victime de violence sur cinq rapporte les faits aux autorités.

La violence « affective », qui comprend les menaces, l'inceste, les destructions matérielles et autres gâteries, est souvent exclue des enquêtes. Le chiffre de 11 % de femmes françaises ayant subi une agression au cours de leur vie est probablement loin de la réalité, comme on l'a déjà prétendu[87]. D'ailleurs, au moment où nous écrivons ces lignes, un nouveau rapport confirme cette impression : de l'enquête Enveff menée en 2000 à l'enquête CSF menée en 2006, les déclarations de violences rapportées ont doublé[88]. On ne parle pas encore de la domination au quotidien, ni des pratiques « ancestrales » de donner une claque à sa femme quand le repas est grillé. Parfois, ce sont les gifles qui arrivent vite, parfois des cris, des coups de poing ou de pied, parfois une longue harangue masculine, permanente et omniprésente : faut-il vraiment choisir ?

La violence n'est pas génétique : elle peut disparaître. À titre d'exemple, citons le pays de Fifi Brindacier[89], la Suède, où battre un enfant est illégal (même s'il ne s'agit que d'une gifle, alors que cette pratique semble encore normale presque partout ailleurs dans le monde). Plusieurs cours de justice dans divers pays se sont prononcées sur le droit des parents de « corriger » – le terme montre l'intention –

---

87. Vautrin, Catherine, ministre déléguée à la Cohésion sociale et à la Parité du gouvernement Dominique de Villepin, juin 2005- mai 2007, cite une enquête : en 2003 et 2004, 211 femmes sont décédées des suites de violences dites conjugales, mais l'enquête note un écart (de 77 %) inexpliqué : 135 cas recensés en 2003 contre 76 en 2004. Le Nord, la Lorraine, la Provence sont les régions les plus touchées (3 cas par million d'habitants). En Corse, aucun cas en 2003-2004.
88. Bajos, Nathalie et Michel Bozon, *Population et sociétés*, n° 445, mai 2008.
89. Personnage créé par la suédoise Astrid Lindgren et qui a probablement contribué à combattre les stéréotypes sexuels.

leurs enfants. Le changement des mœurs est possible, rapidement, à la condition d'exprimer un consensus sur la manière de faire les choses et, surtout, de partager la conviction si difficile à acquérir que la méthode non violente est supérieure en tous points à la violence, en ce qui a trait à l'éducation et aux relations.

La disparition de la violence envers les enfants est le facteur déterminant de l'éradication de la violence envers les femmes.

La Suède a décriminalisé certains comportements et en a criminalisé d'autres (proposer à une femme de l'argent en échange de relations sexuelles, par exemple), elle a formulé une nouvelle manière de vivre qui fonctionne mieux que la précédente. Voilà ce que devrait être notre éducation et voilà un grand pas vers l'égalité.

Nous avons voulu classer la prostitution dans cette orgie de violence. Il ne s'agit pas d'autre chose. Tous les symboles de la domination se retrouvent dans ce « métier », comme on le désigne encore. Pour les femmes, il ne s'agit pas de symbole : selon le *British Medical Journal*, 93 % des femmes prostituées sont victimes de violence de la part de leurs clients. Yolande Geadah indique que l'âge moyen d'entrée dans la prostitution est de 14 ans[90].

La violence envers les femmes pèse beaucoup plus lourd sur l'ensemble de nos comportements sociaux que la plupart des autres fléaux de nos sociétés. Les hauts taux de violence constatés ont, sur notre vie quotidienne, un impact semblable à celui du banditisme des siècles passés[91], quand il était impossible de traverser un boisé ou même la ville de Paris sans être attaqué. À l'époque, peu de citoyens pouvaient penser atteindre un jour la qualité de vie que nous connaissons aujourd'hui dans nos contrées. Nous ne pouvons pas imaginer à quel point l'œil avec lequel nous regardons la vie détermine notre environnement ; comment il détermine nos limites. Au Canada, les coûts sanitaires de la violence contre les femmes s'élèvent chaque année à 900 millions de dollars. Aux États-Unis, l'impact de la violence à l'égard des femmes sur l'économie s'élève à quatre milliards de dollars. Une femme serait violée toutes les cinq secondes dans ce pays, selon certaines études. D'autres sources parlent d'un viol toutes les deux secondes et demie.

---

90. Geadah, Yolande, *La prostitution, un métier comme un autre?* VLB éditeur, 2003 et Lobby européen des femmes.
91. Muchembled, Robert, *Une histoire de la violence*, Paris, Seuil, 2008.

En 2007, en France, un tribunal a condamné à trois mois de prison et 800 euros de dommages une femme battue par son mari parce qu'elle l'avait empêché d'avoir accès à ses enfants... en refusant de lui donner l'adresse du centre pour femmes battues où elle se cachait. Le tribunal a aussi condamné l'association qui dirige ce centre! Pour la Cour, il semblait clair que le droit d'un père de voir ses enfants l'emportait sur n'importe quelle forme de violence qu'il avait exercée et pourrait encore exercer... avec la complicité du tribunal. La procédure contre le mari, pour violence, a été classée sans suite parce que l'homme est retourné en Turquie. En septembre 2008, un juge (une femme) relâche un homme accusé d'avoir torturé sa femme. La police avait pourtant découvert des enregistrements vidéo de ses actes. À peine libéré, l'homme tue sa femme. D'autres croupissent en prison pour un petit vol. De temps à autre, on peut encore lire dans les journaux français « crime passionnel », un terme qui pourrait tout aussi bien s'appliquer à un voleur de banque passionné pour l'argent!

Un mot enfin, nécessaire, sur la théorie de la « fausse mémoire » qui « éluciderait » les réminiscences d'agressions sexuelles subies durant l'enfance. Selon cette théorie, des thérapeutes expliquent le comportement de certaines personnes par de faux souvenirs d'abus sexuels. Et selon les adeptes de cette théorie, ce sont les femmes, à 92 %, qui souffriraient le plus de cette fausse mémoire[92], de cette matière sombre évoquée plus haut...

Nous voulons croire que l'espèce humaine aspire à d'autres fins que de se perpétuer sans rien vouloir changer de cette partie de sauvagerie qui nous domine: la guerre, la pauvreté, la corruption, l'exploitation, les mutilations, l'esclavage. Toutes ces notions, redisons-le, sont imbriquées les unes dans les autres, comme la corruption et la violence, comme la violence et la domination. Les pays nordiques travaillent sur tous les plans en même temps, ils veulent éradiquer toutes nos tares... Immense chantier, mais un chantier nécessaire au monde que nous voulons reconstruire pour ne pas le perdre.

L'engagement

Il existe probablement un grand nombre de couples qui vivent en harmonie, et sans doute encore plus qui trimbalent leur misère jusqu'à la fin

92. « Faux souvenir et fausse mémoire », *France FMS.com*, www.acalpa.org/faux_souvenir_et_fausse_memoire.htm.

avec un peu de résignation et beaucoup d'amour. D'autres, qui semblent devenir une majorité, négocient au coup par coup la gestion des dégâts.

Quand un père a des enfants avec sa compagne, le fait qu'il ne les a pas portés ne justifie pas qu'il les abandonne. Certains quittent le bateau juste après la naissance, ou un an après, au point que des jeunes femmes qui discutent entre elles se demandent si elles ne sont pas condamnées à vivre seules. Les hommes peuvent aussi se poser la question, mais le problème que nous évoquons ici est beaucoup plus grave que le simple fait de rester seul : c'est l'engagement qui est en question, la conduite à terme d'un projet de vie apparemment emballant, mais qui se révèle très vite trop lourd pour l'homme, au point qu'il pense avoir le droit de l'abandonner à son gré. Quatre-vingt pour cent des familles monoparentales sont dirigées par une femme. Un problème éternel ; autrefois problème d'honneur, aujourd'hui problème de société.

Jusqu'à présent, la norme sociale voulait que les deux parents constituent la base familiale. Toute la société est basée sur ce concept. Nous avons admis, récemment dans l'histoire humaine, que les parents pouvaient se séparer et, dès lors, nous sommes entrés dans l'ère du partage des responsabilités. En fait, nous avons admis que les couples devaient se séparer plutôt que de tolérer des relations forcées, des relations de soumission, souvent brutales : le divorce a été un des éléments importants de la libération des femmes. Il a été pendant longtemps, pour les hommes, le moyen de partir sans payer les services rendus par leur épouse, après avoir établi leur carrière alors que celle de leur compagne demeurait à jamais morcelée et sans valeur monétaire appréciable.

La manière dont nous réglons ce genre de problème est symptomatique de notre éveil philosophique. Pour l'instant, c'est, bien sûr, l'économie qui prend le contrôle du droit.

Un jugement de la Cour suprême du Canada rendu le 10 novembre 2005 est éloquent. Une femme travaille et élève ses enfants. Le père partage inéquitablement la garde – il y consacre moins d'heures. En payant une pension, il achète un peu son temps libre... La mère reçoit une pension alimentaire d'environ 500 dollars par mois. Puis, elle retourne à l'université, et son ex-mari accepte de garder les enfants plus longtemps, jusqu'à 50 %

du temps, précise-t-on. Il demande une réduction de la pension de 500 $ à 100 $ par mois. La Cour suprême juge alors que les tribunaux ne doivent pas se contenter de calculer le pourcentage de temps de garde de chaque parent, mais doivent tenir compte de tous les facteurs, en particulier des dépenses encourues par chaque parent : épargne-études, transport, frais scolaires, etc. Le fait, pour le père, de garder les enfants plus souvent ne se traduit pas nécessairement par un accroissement de ses dépenses, ni par une diminution de celles de la mère. La morale de cette histoire ? C'est un jugement de Salomon, mais bien peu de femmes peuvent se payer l'accès à la Cour suprême.

Ajoutons que les pensions alimentaires sont attribuées en fonction de barèmes, et certainement pas en fonction de l'amour porté aux enfants et encore moins de leurs besoins spécifiques. Anecdotique, quand on pense aux frais d'avocat pour de telles décisions et surtout pour des moins bonnes : cela peut se chiffrer par dizaines de milliers de dollars qui s'envolent de la vie des deux parents et de celle des enfants, au point que ce sont eux qui sont pénalisés. Scolarité réduite, travail précoce, problèmes affectifs constituent alors un handicap sérieux. Les barèmes en question pénalisent financièrement les enfants en les faisant sortir d'un cadre familial riche pour les faire entrer dans un cadre financier déterminé par une formule standard – une de plus.

C'est un des arguments invoqués par ceux qui ne veulent pas d'enfants, un sujet tabou. Plus d'amour, plus d'engagement, seulement des personnes laissées en plein milieu de la vie sans les moyens qu'ils s'étaient promis pour la traverser.

La pauvreté

Selon une théorie justifiant les délocalisations, l'argent gagné en exportant des produits fabriqués par une main-d'œuvre sous-payée est toujours réinvesti, et enrichit donc le pays producteur pour finalement profiter aux ouvriers. Comme si ces pays allaient sauter ainsi de Dickens aux années 1950 et aux « trente glorieuses », ignorant les guerres, les luttes ouvrières, les colonisations, la crise de 1929, tout ce qui, par des chemins détournés, a amené les pays puissants à établir leur richesse. Ce même capitalisme outrancier du XVIIIe siècle, ces terribles guerres, feront autant de mal dans les pays en développement que nous en avons connu en Occident.

À l'instar de compagnies pharmaceutiques de pays en développement comme l'Inde[93], qui préfèrent fabriquer des médicaments génériques pour les pays riches au lieu de se soucier de produire des médicaments pour leurs compatriotes, beaucoup d'industries de pays en développement produisent pour les pays riches en sous-payant leur main-d'œuvre... quand ils la paient.

À terme, cette théorie de l'éradication de la pauvreté par le développement économique importé ne tient pas. Ce qui transforme les sociétés, c'est la volonté de changement et le travail qui y est consacré par ses citoyens. Ce que l'on voit plutôt en Chine, c'est un enrichissement considérable d'une partie de la population, ce qui n'est pas néfaste en soi, mais c'est aussi un déséquilibre désastreux et durable pour toute la société, assorti d'une pollution colossale et d'une corruption endémique traditionnelle. Rien n'indique que la richesse sera bientôt partagée.

Les gouvernements ont commencé à mettre sur pied des groupes spéciaux d'intervention contre la pauvreté. Le gouvernement du Québec vient d'en créer un : personne ne souhaite vivre dans un pays de mères monoparentales assistées.

Ces mères sont paralysées. Elles doivent rester collées à leurs enfants durant les dix premières années de leur vie. Impossible de sortir de la maison, impossible de prendre une douche sans avoir les enfants à portée de bras. Il faut à la fois assurer l'économique, les soins, l'éducation, l'affection et la sécurité à chaque seconde de l'existence, même la nuit. L'instinct de la mère, c'est l'éveil permanent, comme un barreur traversant l'Atlantique en solitaire. On imagine très bien qu'il pourrait y avoir dans notre espèce un « instinct de père » pour se charger du même travail, mais les pères se font rares dans l'épreuve.

La pauvreté au XXIe siècle, ce n'est plus une question d'intelligence, c'est une question d'enfance, de conditions de vie. Les castes ne sont plus seulement héréditaires, elles sont construites au fil des générations, fabriquées, refabriquées ou confirmées par le système social. L'égalité, comme la démocratie, restera un travail de tous les jours. Mais plutôt

93. Faure, Isabelle, « Polémique autour de bébés cobayes en Inde », *Le Figaro*, 25 août 2008.

que de créer de nouvelles formes d'assistance, pourquoi ne pas avoir suivi, dans nos sociétés même, le principe de Muhammad Yunus[94] ? « Le grand malentendu, c'est que tout le monde pense qu'il faut aider les pauvres à acquérir de nouvelles aptitudes, alors qu'il suffit de leur permettre de développer celles qu'ils possèdent déjà[95] », affirme-t-il.

Et comprendre que ces femmes et ces enfants pauvres sont issus de nos institutions, de nos écoles, de nos amitiés fausses, de nos regards fermés, d'un système qui transforme les différences en inégalités et en exclusions.

Où se trouvent les femmes dans ce système ? Au plus bas échelon, dans tous les pays, riches ou pauvres. Il faut rappeler que ce qui ne fonctionne pas pour les pauvres en général, fonctionne encore moins pour les femmes pauvres. Et rappeler encore que la pauvreté des femmes n'est pas un problème de compétence, mais plutôt le résultat d'une ségrégation universelle programmée.

C'est assez facile à imaginer. Il est vrai qu'il est possible, pour une femme, d'élever des enfants et de mener de front une carrière. Pendant un certain temps. Parce que s'il est effectivement possible de laisser un enfant à la garderie, il faut des ressources extrafamiliales pour élever plusieurs enfants, et cela devient tout à fait impossible si l'on entend garder le contact avec eux.

Barbara Ehrenreich nous a montré comment des femmes pouvaient se retrouver bloquées dans une vie sans avenir.

En fait, dans la misère, le revenu commence à zéro. Même dans nos villes, le salaire minimum n'est pas toujours versé. Pour toucher le bien-être social québécois, le RMI[96] français, pour avoir accès aux études, à une ultime tentative, il faut déjà beaucoup de solidité et de confiance en soi. Aucune autorité ne s'assure que le problème de la personne qu'elle a devant elle va se régler : qui dans son école, qui dans son bureau prend une décision, mais l'ensemble de ces décisions n'a aucune cohérence.

---

94. Muhammad Yunus, prix Nobel de la Paix, est le fondateur de la Grameen Bank. Il a développé le microcrédit au cours des 30 dernières années.

95. Schiendorfer, Andreas, « Muhammad Yunus aimerait reléguer la pauvreté au musée », *Credit Suisse Newsletter*, 4 novembre 2008, emagazine.credit-suisse.com/app/article/index.cfm?fuseaction=OpenArticle&aoid=246543&lang=FR

96. Revenu Minimum Insertion.

Les effets de l'inégalité sont transmis et multipliés de génération en génération. Tant que le problème de l'engagement ne sera pas résolu, toutes les lois du monde n'empêcheront pas des femmes d'hypothéquer leur vie au profit de leur famille. Rappelons que ce sont aussi les femmes qui s'occupent des parents âgés, la plupart du temps.

La moitié de tous les biens et la moitié du fonds de retraite de leur ex-époux ne suffisent pas à permettre aux femmes de traverser la période de vide qui suit la séparation, ni de retrouver un emploi et une bonne situation financière. En général, l'ex-mari continue sa carrière, la femme tente – au mieux – de reprendre la sienne ou simplement, dans la plupart des cas, de travailler. Elle a 40 ans ou plus, les enfants à charge dans 80 % des cas, et il y a de grandes chances pour qu'elle ne puisse plus maintenir le train de vie qu'elle a connu et auquel elle a participé par son travail, ou par le simple partage promis le jour du mariage. En d'autres termes, elle et les enfants du couple sont toujours perdants.

Le système libéral laissera la situation se détériorer : 40 % seulement des Québécois bénéficient d'un régime de retraite d'entreprise. Ce qui permet de comprendre que le pourcentage de femmes qui en possèdent un est encore plus bas, et met aussi un sérieux bémol sur l'impact des lois sur le partage des retraites. Quand les conjoints ne sont pas mariés, une situation très courante, c'est encore pire. Érosion, toujours, des mesures pour l'égalité. Et en Amérique, les régimes de retraite disparaissent parfois[97]... Le ridicule de ce mode de partage met en évidence la nécessité d'un revenu et d'une retraite pour chaque femme, et la fin du mythe de la femme « sans profession ».

Pour contrer les lois de protection des femmes, de nouvelles formes d'association apparaissent, chez les musulmans, mais aussi chez d'autres : le mariage « halal », un mariage religieux non suivi de mariage civil (illégal en France), une forme d'association qui ressemble au PACS[98] français sans les garanties, un concubinage clandestin à prendre ou à laisser. Beaucoup de femmes prennent[99]. Encore une fois, c'est toujours cette absence d'éducation et de conscience citoyenne

97. Les retraités de la société Singer au Canada ont obtenu gain de cause sur des fonds en litige après plus de dix ans de procès. Ajoutons les fraudes (Madoff, en 2008), les magouilles des prêts hypothécaires à haut risque qui ont vidé les régimes privés de pension et une partie des régimes publics.

98. Pacte Civil de Solidarité.

99. *Elle*, nº 3247, mars 2008.

qui renvoie les jeunes vers la religion sous prétexte de s'affirmer, de se libérer de la tradition, tout en y restant piégés.

Plus la réalité est dure, plus elle est cachée. Les mères monoparentales, redisons-le, constituent la plus grande partie de la population pauvre. C'est un phénomène mondial. Pour l'instant, nous voyons plutôt les mères monoparentales comme un problème (un premier ministre québécois a parlé de cervelles d'oiseaux, ignorant l'aspect psychologique de la pauvreté), comme les SDF, comme un problème individuel plutôt que comme la conséquence d'un phénomène d'exclusion, d'abandon et de politiques humiliantes pour les femmes.

Nous n'avons toujours pas compris que la qualité d'une société dépend de sa capacité à convaincre ses citoyens que les objectifs qu'ils se fixent collectivement et individuellement sont réalisables, et de sa compétence à mettre en œuvre les moyens nécessaires pour y parvenir. Plutôt que de penser que les citoyens décrochent parce que la société ne leur est pas destinée, parce que nous les en avons exclus, nous nous obstinons à affirmer qu'ils ont choisi la misère dans laquelle ils se trouvent ou qu'ils n'ont pas les capacités nécessaires pour en sortir.

Jusqu'à présent, nos sociétés sont beaucoup plus le fruit du hasard, chaque citoyen essayant de parvenir à un certain bien-être par ses propres moyens, en l'absence d'un projet social concerté. Cette vacuité politique est ressentie par un grand nombre d'individus, en avance sur les représentants qu'ils élisent. Nous vivons une perpétuelle désillusion, un véritable déficit démocratique et, dans ce contexte, l'égalité entre tous les citoyens constitue le premier pas vers une avancée majeure de cette démocratie que nous avons adoptée comme le meilleur moyen de vivre ensemble.

Réactions
Les femmes qui ne veulent pas d'enfant

Le droit d'une personne d'avoir ou de ne pas avoir d'enfant est sacré. Mais selon une nouvelle théorie, celles qui ne veulent pas d'enfant poseraient aussi un sérieux problème social. Puisque les universités sont maintenant envahies par des cohortes de femmes dans les domaines les plus sensibles – sciences, ingénierie, médecine –, « l'absentéisme prévisible » de celles qui auront des enfants semble poser un problème aux stratèges politiques et à la grande entreprise. Que se passera-t-il lorsqu'un nombre significatif de femmes médecins quitteront la médecine pour s'occuper de leurs enfants[100] ? Un phénomène que l'on n'avait jamais connu de mémoire d'homme.

L'une des propositions entendues voudrait instituer des quotas pour qu'un nombre plus important d'hommes entrent dans ces facultés « sensibles » où le nombre de places est limité. Comme il est impossible de connaître véritablement les projets familiaux des femmes (et les hommes, eux, n'en ont pas ?), il faudrait admettre un nombre limité de femmes dans ces facultés afin d'assurer, pour l'avenir, un « service minimum » dans les professions visées. Voilà fondamentalement l'expression la plus primaire du pouvoir masculin ! Ainsi, toutes les femmes seraient pénalisées du même coup (au titre d'unique groupe responsable de la reproduction) et ce qui serait préservé, surtout, c'est le service minimum à la maison ! Retour au XIXe siècle.

La solution serait évidemment d'admettre dans ces facultés plus de femmes et plus d'hommes. Il pourrait être tentant de suivre l'idée de quotas masculins (bizarre tout de même de la part de gens qui sont contre la discrimination positive en faveur des femmes), mais les progrès réalisés nous rappellent que le véritable problème n'est pas l'absentéisme des femmes qui élèvent les enfants, mais bien celui des hommes qui ne les élèvent pas. Une fois cela compris, nul besoin ne subsistera de différencier les femmes qui veulent des enfants de celles qui n'en veulent pas ou des pères qui en auront. Un grand pas aura été franchi.

Les femmes qui ont réussi

Tout comme les hommes qui ont bâti leur fortune de toutes pièces, les femmes qui se sont fait une place dans les rangs des hommes, même si elles connaissent bien les barrières qu'elles ont franchies et celles qui se posent encore devant elles, transparentes ou non, n'éprouvent pas, en général, une grande considération pour leurs sœurs moins « battantes ».

Certaines et certains les jugent paresseuses, insignifiantes. Le fameux « quand on veut, on peut » est resservi à la sauce féminine,

---

100. C'est une idée fixe. On se rappellera la question « Qui va garder les enfants ? », entendue en pleine campagne présidentielle française.

dans la plus parfaite ignorance du processus de libération des femmes et de la discrimination dont elles sont victimes. Souvent, elles passent par-dessus cette discrimination comme si elle était normale. Un exemple ubuesque : plusieurs femmes blondes en situation de pouvoir se sont converties en brunes (nous ne les nommerons pas et ne les blâmons surtout pas) pour s'assurer une plus grande crédibilité... Et cela fonctionne !

Dans maintenant beaucoup de pays, un nombre croissant de citoyennes ont conquis des libertés. Certaines d'entre elles parviennent à vivre une vie parfaitement libre et ont toujours pu se sortir des situations dans lesquelles elles étaient traitées en inférieures. Mais tous les démunis n'ont pas la force ni les ressources pour se sortir des situations d'injustice et d'exclusion, pas plus les femmes que les autres.

LE COMPORTEMENT DES FEMMES TOUJOURS DICTÉ PAR LES HOMMES ?

Lors de l'émission *Tout le monde en parle* présentée à Radio-Canada le 3 décembre 2006, la réalisatrice Anne-Marie Losique annonçait qu'elle allait présenter en 2007, pour la Journée internationale de la femme, une émission sur l'égalité. Presque unanimement, tous les hommes sur le plateau se sont offusqués que la productrice puisse faire ce genre d'émission. Ils y voyaient une contradiction avec le genre d'émissions qu'elle produit d'habitude. Pire, le co-animateur « fou du roi » s'est permis un commentaire offensant à l'effet qu'en la voyant, il ne regrettait pas son orientation homosexuelle...

Il faut donc encore que les hommes définissent l'avenir des femmes. Elles ne pourraient pas être habillées court et parler en tant que femmes ? Ni jouer, sur un plateau de télévision, un jeu de séduction et être à la fois une femme honorable ? Nous ne sommes pas encore très loin du voile !

Pierre Péladeau, le fondateur de Quebecor, qui fut le premier imprimeur au monde, avait coutume de dire qu'une personne pouvait tout faire sans aide. « Si je l'ai fait, n'importe qui peut le faire », disait-il humblement. Mais quand on lui a demandé comment il s'était sorti de l'alcoolisme, il a reconnu que sans aide, il n'y serait pas parvenu.

Lysiane Gagnon, journaliste à *La Presse* de Montréal, pense que la parité au Conseil des ministres du gouvernement du Québec constitue une injustice pour les hommes et une humiliation pour les femmes. Puisque la députation gouvernementale est composée de 44 hommes et 22 femmes, il est anormal – selon elle – que les femmes ministres soient aussi nombreuses que les hommes[101]. Mais pourquoi alors ne pas dire aussi que la présence – en amont – de 44 hommes et de seulement 22 femmes dans la députation du parti qui gouverne est un scandale ? Et peut-être même une humiliation pour les hommes dont la présence en si fort pourcentage est due à une discrimination évidente. Voilà l'essence de ce que l'on appelle la discrimination positive : un regard plus large, la même justice pour tous.

Les femmes sont promptes à s'attribuer les raisons d'un échec et, comme bien des discriminés, répugnent à invoquer toujours la discrimination. Cette tendance à la culpabilité, on s'en doute, n'arrange pas l'affaire.

Les femmes les plus fragiles, elles aussi, ont besoin d'être reconnues dans la société, d'être les premières intégrées à la fondation de l'égalité, parce qu'elles ont eu l'occasion de vivre et de connaître les obstacles qui les ont reléguées dans une situation qu'elles n'ont pas cherchée.

Cette reconnaissance du devoir d'assistance, inscrite en filigrane dans la *Déclaration des droits de l'homme*, est une obligation de justice et de démocratie, pas un cadeau fait à des paresseuses et des paresseux. Nos sociétés sont fondées sur l'injustice parce que nous croyons que l'injustice n'est qu'une forme de reconnaissance d'inégalités intellectuelles et physiques « qui existeront toujours ».

L'égalité correspond à l'aboutissement d'une évolution millénaire : ce n'est pas une idée abstraite, ce n'est plus un rêve : c'est devenu une réalité.

Les plus démunis doivent toujours recevoir l'aide appropriée parce qu'ils doivent prendre leur place auprès des autres. C'est à la fois une contrainte et une liberté, une obligation sociale et une démarche libertaire individuelle. C'est surtout le moyen de récupérer cette énergie humaine gaspillée.

À l'encontre de préjugés que l'on retrouve aux plus hauts niveaux de la société, et très certainement au sein des gouvernements, voici ce que nous dit une femme interrogée dans le cadre de cet ouvrage.

---

101. Gagnon, Lysiane, « La parité, un symbole creux », *La Presse*, 19 décembre 2008.

Son propos résume celui de beaucoup d'autres femmes : « À partir du fait que ce sont les femmes et les enfants qui assument la pauvreté, c'est qu'il y a un problème. Comme pour les clochards : des gens disent : « Oui, mais ils l'ont cherché ». Moi, je réponds que ce n'est pas du tout cela le problème. Le problème, c'est que vous avez une grosse partie de la population qui a fait des études, on a payé pour ces études-là, et il y a des gens qui sont normaux et intelligents qui couchent dehors, cela n'a pas de sens. Tu ne peux pas dire : « Il couche dehors parce qu'il aime cela ou qu'il l'a voulu. Il y a d'autres raisons dessous, et il faut les trouver. »

L'augmentation considérable de femmes sans-abri est tellement forte qu'elle est devenue visible dans la rue. Ce n'est pas le genre d'égalité souhaitée. À une époque où même des travailleurs sont SDF, l'assistance sociale est plus que jamais une nécessité. Pour les femmes pauvres, le problème est plus clair : sans aide à long terme, les mères monoparentales fondent de véritables dynasties de pauvres sans aucun espoir de s'en sortir, ces nouvelles castes dont nous avons parlé.

Les reculs législatifs

En l'espace de quelques mois, plusieurs pays, dont la France, ont proposé en 2008 de nouvelles lois destinées à criminaliser, lors de la perpétration du meurtre d'une femme enceinte, celui de l'enfant qu'elle porte[102]. Trente-sept états américains ont adopté un projet de loi semblable, même si les lois existantes couvraient déjà ce genre de crime aggravé. Le Collège des médecins québécois a dénoncé, début 2008, quatre projets de loi à l'étude au Parlement canadien. Deux projets ont été présentés par des députés libéraux (C-338 et C-543) et deux par des conservateurs (C-484 et C537), les deux principaux partis du pays.

Selon le Collège, ces projets de loi constituent bel et bien une stratégie pour éroder le droit à l'avortement sans débat public : « Ces projets risquent de déboucher sur la reconnaissance d'un statut juridique du fœtus et sur la criminalisation de l'avortement[103]. » Le collectif féministe Les Amazones (composé d'étudiantes de

102. Le projet de loi C-484 a été déposé en Chambre par le député conservateur Ken Epp.
103. *Le Devoir*, « Projet de loi C-484 - Le Collège des médecins entre dans la bataille », 3 juin 2008.

l'UQÀM[104]) appelle à manifester pour faire enrayer ce projet de loi ainsi que trois autres, dont l'un[105] a l'ambition de définir le début de la vie humaine « depuis la fécondation ou la création ». Le titre de l'un de ces projets de loi contient même l'expression « les enfants non encore nés »... Cette loi non encore votée fait déjà peur.

Elle prévoit aussi que dans les hôpitaux canadiens, des « objecteurs de conscience », membres du personnel soignant, auraient le droit de refuser de pratiquer un avortement en raison de leurs croyances ou convictions personnelles. Curieux parallèle entre le pacifisme des objecteurs de conscience et la morale religieuse anti-avortement. Ce glissement de sens a des allures de croisade maccarthyste. Des femmes témoignent souvent de l'accueil hostile qu'elles ont reçu dans certaines cliniques, comme à l'époque des « faiseuses d'anges ». « Nous entrons dans une ère de soupçon envers ceux qui ne sont pas dans la norme[106] », a déclaré André Gueslin, professeur d'histoire sociale à Jussieu.

Une autre loi, proposée en France, vise à « donner un nom et un certain état civil » aux « enfants morts avant terme » (toujours pas nés, quoi !). Le fœtus sera « un peu enfant » et aura « un peu d'état civil ». Il s'agit bien de déterminer, grâce à ces lois, quand un fœtus devient un être humain et, ainsi, de mettre en péril le droit à l'avortement par voie de conséquence. On n'enterre pas un spermatozoïde ou un ovule fécondé, mais, si on le faisait, il faudrait bien admettre qu'il y a là un commencement légal de l'existence d'un être en devenir. En Italie, en 2008, un référendum sur l'avortement est proposé. Aux États-Unis et dans les pays de l'Est, les attaques ont commencé dès la promulgation des lois permettant l'IVG[107].

Le droit à l'avortement, ainsi que la Cour suprême du Canada en a jugé, n'est pas un cadeau fait aux femmes : c'est une application du principe de liberté tel qu'il est inscrit dans toutes les constitutions des pays modernes, ainsi que dans la *Déclaration des droits de l'homme* à laquelle une soixantaine de pays (dont le Canada) ont adhéré en 1945. Il n'est donc pas question de débat sur ce point.

---

104. Université du Québec à Montréal.
105. Le projet de loi C-537.
106. Baudet, Marie-Béatrice, *Le Monde*, 7 octobre 2003.
107. Daguerre, Anne, « Menaces sur le droit à l'avortement », *Le Monde diplomatique*, n° 647, février 2008.

La Cour suprême du Canada a statué que les « enfants non encore nés » ne constituaient pas des personnes différentes des mères[108].

Nous croyons que notre parti pris du départ est un progrès. Nous ne voulons pas le voir menacé par des pratiques religieuses ou culturelles. Quand on attaque les droits de femmes, c'est la Constitution du pays que l'on attaque.

En mai 2008, un tribunal de Lille (France) donne raison à un mari qui demande l'annulation du mariage parce que sa femme lui avait menti en déclarant qu'elle était vierge[109]. Selon Rachida Dati, ministre de la Justice, cette décision est « aussi un moyen de protéger la personne ». Elle ajoute : « Je pense que cette jeune fille a souhaité également, sans doute, se séparer assez rapidement. » Ce sera donc un jugement à ses torts puisque, dans cette affaire, c'est encore et toujours elle, la femme, qui est la fautive. Son mariage est annulé avec toutes les conséquences juridiques que cela peut entraîner.

Car ce problème peut être posé de bien des manières différentes. En droit français, lorsque les époux attachent une importance primordiale à certaines qualités de la personne avec laquelle ils se marient et que cette condition ne se réalise pas, le contrat n'est pas valable. Mais au XXIe siècle, la virginité d'une femme ne peut pas être une condition acceptable (ni le mensonge qui la couvre), surtout quand celle d'un homme ne l'est pas… et même si elle l'était. C'est une condition discriminatoire, ne serait-ce que parce que la virginité du mari n'est pas vérifiable. C'est faire réapparaître dans la jurisprudence d'un pays moderne des pratiques discriminatoires qui avaient disparu. Et cela n'a rien à voir avec la reconnaissance de cultures millénaires. Tout le monde a une culture millénaire.

Le mariage a été pris en charge par le Code civil qui en a fait un fondement de la société ; il n'appartient pas totalement aux individus de décider de ce qu'ils peuvent faire. Les juges, censés suivre l'évolution des mœurs, reflètent-ils une tendance nouvelle ou ont-ils choisi eux-mêmes quel type de mœurs ils allaient promouvoir ? Ont-ils pensé un instant aux femmes victimes de la pratique médicale de reconstruction de l'hymen ?

---

108. Dobson c/Dobson, [1999], 2 R.C.S. 753, Jugement de la Cour suprême du Canada, 9 juillet, 1999, http ://csc.lexum.umontreal.ca/fr/1999/1999rcs2-753.html/.

109. De Mallevoure, Delphine, « À Lille, la virginité en cause », *Le Figaro*, 29 mai 2008.

Les nouveaux concepts à la mode, comme le multiculturalisme canadien ou l'interculturalisme au Québec, intègrent des comportements et des coutumes disparus au fil du progrès social. Dans la Belle Province, en 2008, des mariages ont été annulés parce que la femme n'était pas vierge[110].

Nul ne chercherait aujourd'hui à appliquer la vieille loi française non abrogée qui permet aux femmes de porter un pantalon seulement quand elles tiennent un cheval par la bride ou le guidon d'une bicyclette, droit soumis à l'autorisation du commissaire de police. Un mari pourrait demander que cette loi s'applique à son épouse. Pourquoi pas ? En réponse à une demande de retirer cette loi, la ministre française déléguée à la Parité a répondu : « La désuétude est plus efficace que l'intervention[111]. » Mais elle laisse toute la place à la régression : la désuétude est le terrain vacant des conservateurs rétrogrades.

Aucun acquis n'est définitif. Il faut, au quotidien, réaffirmer ces idéaux qui n'ont pas encore de bases institutionnelles et individuelles solides.

La construction de l'Europe voit survenir des tentatives de réintégration des religions dans la constitution européenne. En janvier 2008, au cours d'une rencontre avec le pape Benoît XVI, le président français Nicolas Sarkozy a parlé des racines chrétiennes de l'Europe. La Pologne, l'Espagne, l'Italie voulaient alors faire enchâsser le concept dans la Constitution européenne, au risque de faire des États-Unis d'Europe une réplique des États-Unis d'Amérique dont la devise pose comme un fait l'existence de Dieu, même si sa Constitution n'en parle pas.

Cette orientation religieuse de l'Europe est illégitime et fausse : l'Europe est une nouvelle idée, elle n'a pas d'origine religieuse, elle est née dans le charbon[112]. Les racines religieuses de la France ont été coupées au début du XXe siècle.

---

110. Rima Elkouri, « Femmes violentées : le début de l'espoir », *La Presse*, 1er novembre 2008.
111. Évelyne Pisier et Sara Brimo, *Le droit des femmes*, Paris, Dalloz, 2007.
112. La base de l'Europe est la Communauté européenne du charbon et de l'acier. Il s'agissait d'une victoire de l'économie et du partage sur la guerre, le charbon et l'acier constituant la base de l'industrie de guerre.

L'Europe ne s'est pas formée grâce à la religion, mais contre. Les principes de démocratie et d'égalité, surtout d'égalité entre les hommes et les femmes, sont autant d'arrachements à ces « racines », autant de combats contre la tradition et contre la religion, en premier lieu la nôtre, la religion catholique, qui n'a pas voulu voir quand c'était le temps Hitler, la pédophilie, le sida, les avortements clandestins[113], la boucherie du clitoris, ni finalement aucune des guerres modernes, même pas la destruction de la Palestine.

L'Europe n'est pas seulement un truc économique. Elle s'est donné une mission de justice sociale et d'équité. Il existe une Cour européenne plus radicale et plus juste que les traditions et les tribunaux de la plupart des États membres, qui vise aussi à empêcher les reculs législatifs ou le maintient de coutumes injustes. Actuellement, des femmes de tous les horizons européens travaillent à la reconnaissance supranationale des droits acquis dans les différents pays.

L'Europe veut imposer le basculement d'une éthique religieuse vers une nouvelle éthique démocratique, citoyenne, laïque, qui n'a pour unique source que la détermination des hommes et des femmes de vivre dans un monde possible, libre, juste. Ce sera le grand progrès européen.

S'en remettre ainsi à la sagesse des peuples paraît à certains plus risqué que suivre la tradition, mais c'est, à terme, la solution idéale. Pollution, surpopulation, surconsommation, injustices, génocides, famines : voilà plutôt l'effet de la tradition. Il nous aura fallu trop de temps pour le comprendre[114]. Depuis Françoise Guizot et Jules Ferry, l'éducation est synonyme d'arrachement, avons-nous dit. L'éducation européenne, tout naturellement, se fait à l'encontre de quelques traditions nationales périmées.

113. 500 000 par année en France, selon Benoîte Groult, avec la souffrance, les morts, la culpabilité, avant qu'il soit décriminalisé par Simone Veil en 1974. Tout le monde connaissait les effroyables conséquences de l'interdiction d'avorter comme nous connaissons aujourd'hui celles des mutilations des organes génitaux des femmes en les qualifiant de « culturelles ».

114. Aux États-Unis, comme en Angleterre, l'usage veut que les parents envoient leurs enfants dans une université éloignée du domicile familial pour permettre le renouvellement des idées, la découverte d'horizons nouveaux : toute l'éducation se trouve là.

Tribunaux religieux au Canada et « accommodements raisonnables » québécois

Nous sommes esclaves des lois pour pouvoir être libres.
CICÉRON

Traumatisés par le multiculturalisme de Pierre Trudeau, le plus flamboyant de tous les premiers ministres canadiens d'origine québécoise chargés de conserver le Québec dans la Confédération canadienne, les Québécois, comme les Ontariens, jouent dangereusement avec la loi constitutionnelle.

En Ontario, il a été question d'accepter que des tribunaux islamiques gèrent certains aspects du divorce selon leurs propres règles. Dès que les médias ont relayé l'information, le public s'est aperçu que de telles pratiques étaient courantes puisqu'une loi de 1991 autorise l'intervention, au cours d'une procédure de divorce, d'« arbitres » qui peuvent être prêtres, imams, avocats ou rabbins. En dehors des communautés juives et musulmanes, le choix de l'arbitre se porte presque toujours vers un avocat. Mais c'est tout de même une ancienne procureure générale, Marion Boyd, chargée par le premier ministre ontarien Dalton McGuinty de produire un rapport sur le sujet, qui s'est prononcée en faveur de la création de tribunaux religieux.

Le premier ministre s'est finalement opposé à ce projet et, dans la foulée, à l'arbitrage religieux permis par l'ancienne loi. Même si l'on précise que la loi canadienne aura toujours préséance sur cet arbitrage religieux, il reste que l'existence de telles infrastructures ne peut que renforcer des pratiques que l'on dit « culturelles » et qui sont, en réalité, tout simplement discriminatoires.

Homa Arjomand, coordonnatrice de la campagne internationale contre les tribunaux islamiques appliquant la charia au Canada, se demande comment il pourrait en être autrement quand des imams autorisent le mariage de jeunes filles mineures et permettent la polygamie. En Angleterre, avec la bénédiction de l'archevêque de Canterbury, qui prêche aussi pour sa paroisse, les tribunaux islamiques se sont installés en 2007. Nous confinons ainsi une partie de la population dans des pratiques réprouvées au sein même de leurs communautés, dont quelques membres seulement réclament ces accommodements.

La loi ne sert à rien d'autre qu'à nous éloigner de pratiques ancestrales, culturelles ou coutumières qui vont à l'encontre du but commun que les sociétés se sont donné, et particulièrement la protection des droits des femmes. La laïcité n'est pas un système de société qui permet l'inclusion des religions dans le gouvernement, c'est un système qui l'en exclut (en échange de la liberté de religion). Au risque de nous répéter, disons que les droits des citoyens exprimés dans la Constitution ne peuvent être atteints, atténués, modifiés par l'exercice du droit de pratiquer une religion. Si cela constitue une hiérarchisation des droits, eh bien, hiérarchisons encore!

C'est cette prise de conscience qui a été à l'origine de la fameuse crise des « accommodements raisonnables » : la population a pu apprendre que des dérogations pour des raisons culturelles ou religieuses sont monnaie courante au Canada. Les protestants, les juifs orthodoxes entre autres, bénéficient par exemple d'un droit de stationner des automobiles où c'est normalement interdit « afin que familles et amis puissent se joindre aux offices religieux », privilège dont les autres citoyens ne bénéficient pas. Bienvenue dans l'univers des lobbies.

Cependant, dans cet exercice collectif des accommodements, on a confondu les dérogations mineures avec des atteintes beaucoup plus graves aux droits constitutionnels.

À la demande des hassidim, extrémistes religieux juifs, la (SAAQ) Société de l'assurance automobile du Québec « permet » – le terme manque de courage – que les femmes examinatrices cèdent leur place à des collègues masculins pour faire passer les examens de conduite[115]. Une note semblable avait été découverte à la police de Montréal, par laquelle l'administration demandait aux policières de confier le travail à des policiers quand il s'agissait de traiter avec des juifs orthodoxes[116]. C'est clairement discriminatoire. Exclusions d'hommes de cours prénataux à la demande de femmes musulmanes, installation de vitres givrées dans un centre sportif à la demande de la congrégation juive orthodoxe... Ce ne sont en apparence que de simples demandes dans un esprit de « bon voisinage », mais les femmes en font toujours les frais. Que ferait un marchand à qui des clients demanderaient de ne pas employer de femmes dans son magasin?

115. *La Presse*, 1er février 2007.

116. « L'offense est double : discrimination religieuse et sexuelle », *La Presse*, 15 novembre 2006.

Femmes, pouvoir et démocratie aujourd'hui

Comment peut-on parler de démocratie alors que la moitié de la population mondiale est toujours considérée comme inférieure et soumise dans les faits, même dans nos contrées? Les femmes ont réalisé des gains, certes, mais elles ne détiennent toujours pas de pouvoir dans nos sociétés de pouvoir, et ne parviennent ni à créer, ni à modifier les institutions masculines qui gèrent l'essentiel de notre manière de vivre. Bien plus: quand elles parviennent à entrer dans les « zones de pouvoir », une évolution inéluctable puisque les femmes sont majoritaires dans les universités, celui-ci glisse et leur échappe pour se retrouver à l'abri au sein d'institutions officielles ou parallèles commandées par des hommes.

Georges Lapassade, analyste de l'UQÀM, avait démontré en 1970 que les canaux de pouvoir ne sont pas toujours les canaux officiels. D'autres canaux, bien plus efficaces, se créent informellement et ne répondent qu'aux règles déterminées par leurs « membres ». Il n'y a pas de séparation entre l'institution et, les individus qui y travaillent; il y a confusion entre les deux.

Ce ne sont donc pas le hasard ni la lenteur « normale » de l'évolution qui sont la cause de ces freins: c'est l'expression continuelle du pouvoir masculin à travers ses institutions, ses partis politiques, ses citoyens même, qui votent « prudemment », craignant la transformation de la société par des hordes de femelles malmenant leur propre nature de mères et d'épouses.

La récente campagne électorale de Ségolène Royal a été hallucinante à cet égard: depuis le fameux « qui va garder les enfants? » à l'adresse des femmes en général (les enfants de madame Royal étant de jeunes adultes), jusqu'aux propositions malhonnêtes des Rocard et autres éléphants du parti qui la sommaient tout simplement de leur donner sa place[117]!

Certains disent que les femmes ne s'intéressent pas à la politique, comme si cela découlait d'une génétique secrète, d'un gène de l'apolitisme. L'histoire, bien sûr, nous enseigne le contraire. John Stuart Mill avait, à son époque, écrit que les incapacités des femmes

117. ROYAL, SÉGOLÈNE, *Ma plus belle histoire, c'est vous*, Paris, Grasset et Fasquelle, 2007.

n'étaient que le produit de la domination dont elles faisaient l'objet, que leur absence en politique était le corollaire de leur isolement social. La liberté, la démocratie, la participation et l'implication des citoyens se construisent. Il n'y a jamais eu autant d'instances politiques que de nos jours.

Dès le moment où l'une se crée – à condition qu'elle soit réelle, crédible –, elle trouve preneur parmi celles-là mêmes que l'on taxait d'apathiques. Le problème n'est pas dans l'apathie des femmes, mais plutôt dans la manière dont la société s'y prend pour les exclure de l'activité politique. Une petite note dans le rapport de l'Observatoire français de la parité indique que lors de l'élection de 2004, seuls les Verts et les Communistes ont présenté autant de candidates que de candidats ; les deux « grands partis » se sont contentés d'un petit 20 %[118].

En septembre 2008, le Sénat français, élu par un collège électoral (des politiques et des élus) a vu son pourcentage de femmes passer de 18 % à 22 %. Certains y voient un progrès ; pour nous, c'est une pièce à conviction.

Ce doute des hommes à l'égard des capacités d'intégration des femmes est un peu enfantin : c'est comme si un groupe de copains invitaient des femmes à leur chalet en emportant leurs cannes à pêche et leurs caisses de bière, pour s'étonner ensuite du manque d'enthousiasme de leurs invitées.

D'aucuns diront que les femmes peuvent très bien s'intégrer aux institutions actuelles, avec le cliché corollaire tellement attendu : les femmes ne sont pas meilleures que les hommes lorsqu'elles occupent « leurs » postes. Celles qui reproduisent le style masculin – et elles en ont le droit – sont aujourd'hui recherchées dans les pays anglo-saxons où l'on est prompt à reconnaître le talent ; où l'on échange instantanément ses propres préjugés pour une bonne affaire. Mais l'apport des femmes vaut encore bien plus. Dans tous les domaines dans lesquels elles entrent, elles apportent des méthodes alternatives de faire, et un enthousiasme parfois éreintant. L'égalité n'est pas une question de temps, mais de volonté commune d'une meilleure démocratie.

Le concept de démocratie, a-t-on dit, implique un engagement réel et libre de tous les citoyens. Mais « les femmes » ne sont pas un

118. Zimmermann, Marie-Jo, Observatoire de la parité entre les femmes et les hommes, *Effets directs et indirects de la loi du 6 juin 2000 : un bilan contrasté*, mars 2005.

groupe de clones. Il y a des dures, des ambitieuses, des apathiques, des battantes, celles qui veulent élever leurs enfants, celles qui veulent faire autre chose ou tout en même temps. Elles sont aussi différentes les unes des autres que les hommes le sont, mais cette diversité ne semble pas être acceptée et comprise dans le monde masculin.

Ce que nous pourrions peut-être imaginer, c'est que les femmes en général, pour avoir inventé (ou subi) des modes de vie alternatifs (familles monoparentales, ménagères, carriéristes), vont apporter leur touche dans tous les domaines dans lesquels elles auront une voix. Elles partageront alors le pouvoir jusque dans la conception même du pouvoir.

Comme nous le verrons, il existe dans la démarche des pays scandinaves une réelle volonté de changer la société, de s'extirper des modèles existants et de croire qu'il est possible d'en trouver d'autres.

Cette démarche sociale, bien que parrainée par les femmes, se fait dans des sociétés qui sont restées très masculines. Ce sera toujours un défi des sociétés les plus avancées de se garder des vieux démons de la force, de la supériorité et du « rôle » traditionnel des femmes, ce rôle que les bourgeois norvégiens voulaient autrefois enseigner aux femmes.

Troisième partie : Les causes de l'inégalité

[...] toute la puissance dont la nature a doté l'homme sous forme de force physique et de raison, elle la prête à la femme sous la forme de la tromperie. La tromperie est inhérente à la femme, presque autant à la femme bête qu'à la femme intelligente. La femme use de duperie en toute occasion aussi spontanément que les fauves se servent de leurs armes, et elle estime que c'est son droit. Il est donc probablement impossible qu'existe une femme absolument honnête, exempte de fausseté.

ARTHUR SCHOPENHAUER

Le pouvoir

Il n'existe pas de meilleur scénario d'asservissement que celui qui combine l'usage de la force et l'abandon de la responsabilité de la reproduction de l'espèce à celles qui en ont déjà la charge physique. Faiblesse et culpabilité : voilà quel a été le passé des femmes.

Mais le fait de dire que le pouvoir est toujours détenu par les hommes ne règle pas le problème. Surtout lorsque les nations consacrent des efforts évidents à promouvoir l'égalité sans réellement y parvenir. Nous nous posons encore aujourd'hui la question : pourquoi encore de la discrimination, pourquoi toujours de la violence ?

Que l'on soit en Afrique, en Arabie saoudite, à Trois-Pistoles ou à Paris, les causes de l'inégalité entre les femmes et les hommes sont les mêmes. Nous l'avons dit, il y a une différence de degré, mais certainement pas de nature. Qui n'a pas été choqué, au cours d'un voyage, par le travail des femmes dans les champs, dans les usines, pendant que les hommes étaient occupés à des activités plus douces ? Quand les femmes nous disent ici même qu'elles assument une double tâche, au travail et à la maison, elles décrivent la même réalité. Pourquoi seulement 2 % des hommes font-ils du repassage ? Serait-ce un plaisir féminin ?

Le fait d'installer un gouvernement paritaire ou de corriger des disparités salariales ne fait pas l'égalité : ce sont des changements statistiques, certainement pas des changements structurels, institutionnels, définitifs.

Le monopole, la polarisation du pouvoir, renforcée par des siècles de pratique, conduit les gouvernements à régler tous les problèmes de la même manière. La résolution des conflits est trop souvent violente et la gestion des crises, jamais assez consensuelle.

Karl Stern, psychiatre américain, a traité de la polarisation des mécanismes d'administration de la vie sur terre. Il note : « Ces sujets [les administrateurs, les puissants] laissent leur habileté technique, scientifique ou financière s'appliquer à des domaines de la vie humaine qui ne relèvent nullement de la technique[119]. »

Son analyse réfute la supériorité du masculin qui ne peut, selon lui, que conduire à la catastrophe. Malheureusement, alors que nous aurions pu nous attendre à ce qu'il trouve chez les femmes ces qualités essentielles qui ne relèvent pas de la technique, il affirme : « Les meilleurs écrivains ou savants que l'on trouve chez les femmes depuis leur émancipation restent loin de la classe des génies évoqués plus haut[120]. »

Stern évoquait Bach, Newton et oubliait, comme nous tous, toutes les autres.

Malheureusement, il ne s'agit pas d'un discours démodé : nous pouvons encore aujourd'hui l'entendre à l'occasion. Si l'on appliquait les lois sur la propagande haineuse, ces textes seraient interdits.

Nous voulons illustrer ainsi ce que sous-tend le pouvoir masculin, ce sentiment qui ignore encore aujourd'hui l'apport des femmes, et pour cause, qui néglige l'ampleur de leur contribution globalement, en tant que genre, ou individuellement, comme celle de la femme d'Albert Einstein, Mileva Maric, soulignée par le philosophe Jean-Paul Auffray, et celle de bien d'autres femmes. Le tort de Stern est bien de croire que ce n'est pas l'exclusion des femmes de l'école ou d'autres institutions qui a « empêché ainsi les femmes d'accéder au génie », mais bien… « elles-mêmes ». On peut avoir l'impression que de telles inepties appartiennent au passé, mais la réalité nous apprend que dans le domaine de la discrimination, le passé et le présent se fréquentent dramatiquement.

LE MYTHE DE LA TAVERNE

Parlant de système masculin, évoquons cette manière particulière qu'ont ceux qui détiennent le pouvoir de croire que leur compréhension du monde est juste et scientifique alors qu'en réalité, elle ne fait qu'élever au rang de science ce qui n'est que le résultat de leur propre organisation. Les femmes, comme les décrivent nombre d'écrivains et de philosophes, « ne sont pas inventives par nature. Elles rangent par nature. Elles n'aiment pas l'affrontement, la guerre. Pour ces raisons,

119. Karl Stern, *Le refus de la femme*, Montréal, Éditions Hurtubise HMH, 1968.
120. *Ibid.*

elles sont bien au foyer et l'homme, au front. » Ils ne se rendent pas vraiment compte que cette description n'est rien d'autre que celle de la société qu'ils ont créée et dans laquelle ils tiennent le rôle principal. On disait la même chose à propos des Noirs américains. À voir Barack Obama réussir après tant d'années, nous pouvons être stupéfaits que cela ne se soit pas produit plus tôt. On a l'impression parfois que la science n'est pas autre chose que l'expression de notre désir, de notre vision du monde. En ce qui a trait aux discriminations, c'est bien sûr le cas.

Les effets du pouvoir

Enfermées dans un rôle de gardiennes du renouvellement de l'humanité, les femmes acceptent plus facilement de travailler. Elles acceptent tous les travaux susceptibles de leur apporter une rémunération, et sont donc plus malléables. La nécessité, la responsabilité des bouches à nourrir, de l'éducation et du bien-être des enfants ou du couple, font qu'elles sont moins attachées à l'idée d'obtenir un salaire plus élevé et de grimper dans l'échelle sociale. Ce sont des chefs d'entreprises qui nous le confirment. Plusieurs répugnent à se contenter d'une main-d'œuvre à bon marché et exercent à cet égard une « discrimination positive » en confiant des postes importants à plus de femmes, parce que, selon eux, elles travaillent mieux, en symbiose avec leur entreprise.

Jean-Marc Eustache, PDG de Transat AT, aime travailler avec des femmes. Selon lui, elles sont tout simplement plus efficaces et compétentes que leurs homologues masculins,

Transat AT est une très sérieuse entreprise internationale qui a essuyé quelques grains et en est toujours ressortie plus forte. Le chemin parcouru par cette entreprise nous porte à croire que son président ne s'est pas trompé.

À l'opposé de cette éthique d'embauche, certains employeurs savent qu'ils peuvent proposer n'importe quoi et payer moins. Dans une société masculine, les problèmes des femmes au travail s'enchaînent, se multiplient : bas salaires, promotions rarissimes, mauvaises relations avec les patrons. Le harcèlement, qui tire sa force dans la peur de la victime de perdre son emploi, constitue à lui seul non pas un plafond, mais une prison de verre.

Encore aujourd'hui, le milieu du travail exploite ce sentiment de culpabilité des femmes basé sur leurs absences ou leur « humeur changeante », plutôt hypothétiques à notre époque puisque les femmes ne s'absentent guère plus du travail que les hommes et que les variations d'humeur qu'on leur prête ont leurs équivalents masculins. D'ailleurs, les congés parentaux ont aussi pour objectif de concrétiser dans l'entreprise l'idée que ce ne sont pas seulement les femmes qui sont responsables de la reproduction. Les hommes doivent également s'absenter pour cela.

Les conséquences du pouvoir masculin sont cumulatives : en rendant les femmes responsables des contraintes imposées par la reproduction, en les confinant au travail à temps partiel, aux salaires inférieurs, aux emplois temporaires, nous leur distribuons des handicaps en série et nous faisons un très mauvais usage de leur compétence.

Le journal *Le Devoir* a rapporté une dépêche à l'effet que les critères d'admissibilité à l'assurance emploi canadienne défavorisent les femmes[121]. Parce que les hommes raflent la majorité des emplois à temps plein et que les femmes se « contentent » des emplois à temps partiel, ces dernières reçoivent moins de prestations. Si l'on appliquait la même analyse des disparités dues à l'application de critères dans tous les domaines de l'économie, l'on constaterait sans doute que l'ensemble des institutions sociales défavorisent les femmes, autant sur le plan économique que dans les autres sphères d'activité : emploi, développement personnel, situation des femmes âgées.

L'essence même du pouvoir, c'est de se maintenir. Plusieurs peuples ont instauré des événements annuels de destruction des œuvres d'art[122] pour casser la corruption du pouvoir, une opération de purification dont l'équivalent qui nous est le plus familier serait les corrections boursières... Nos sociétés sont au contraire appuyées sur la tradition, sur la consolidation des institutions.

Pour les femmes, comme pour tous les discriminés, cette pérennité de l'exclusion a un effet dévastateur sur le développement de la personnalité. Une femme va toujours se demander pourquoi elle n'a pas obtenu tel poste, pourquoi elle ne réussit pas. En tant que « groupe », en tant que genre, elles sont condamnées à vivre et à se

121. « Les femmes sont pénalisées par l'assurance emploi », *Le Devoir*, 22 novembre 2007.
122. Par exemple, la fête des Fallas, qui se déroule à Valence, en Espagne.

satisfaire d'un système truffé d'interdictions, de difficultés, de dangers, de renoncements. Esther Greenglass note que le fait d'avoir un patron masculin est un facteur déterminant dans le blocage de la promotion, et, ajouterons-nous, dans le risque de devenir victime de harcèlement[123].

Par nature, un individu – une femme en l'occurrence – ne peut se résoudre à croire que la discrimination soit la seule cause de ses échecs. Elle va plutôt penser qu'il s'agit d'un échec de ses propres valeurs et sera renforcée dans l'idée qu'il n'existe qu'une seule manière de faire les choses, celle qui réussit aux hommes, plutôt que de persévérer dans des solutions alternatives aussi efficaces.

Pour combattre cette approche dépressive des conséquences de la discrimination, il faut que les institutions acceptent la diversité des approches. Cela s'est fait au sein des services de police de plusieurs villes, où l'on s'est rendu compte qu'une policière pouvait inciter un délinquant à se rendre par la persuasion plutôt que par la force – une méthode que, selon les chefs, les policiers mâles pourront utiliser à leur tour. Il faut que, dans les faits, la diversité des approches soit encouragée, qu'elles soient authentiquement féminines ou simplement différentes. Une manière d'éviter le piège de la polarité auquel Karl Stern faisait allusion.

Le vecteur principal : l'éducation

C'est seulement la sociologie qui donne les rôles masculin et féminin dans la police. Si la formation apprend aux hommes à utiliser l'émotion, cela se fera aussi bien qu'avec les femmes.
LINE BEAUCHESNE, criminologue

L'éducation est à l'origine du développement social. Elle en est la clé et la condition. C'est l'éducation qui permet à un peuple de quitter les tâches subalternes, la survivance, pour accéder aux choix économiques et politiques. C'est elle qui permet de détenir les pouvoirs nationaux, d'inventer des manières de vivre en harmonie avec ces choix.
ALAIN COGNARD

123. GREENGLASS, ESTHER R., *A World of Difference : Gender Roles in Perspective*, Toronto, John Wiley & Sons, 1982.

Même si les femmes sont maintenant plus nombreuses que les hommes dans plusieurs facultés[124] et qu'elles sont en général plus diplômées, le problème de l'éducation reste entier. Nulle part encore dans le monde, l'éducation, pas même celle donnée par les parents, n'est parvenue à effacer les injustices envers les femmes.

Les discriminations habituelles se manifestent toujours : violence, disparité salariale, accès plus difficile aux postes importants et, bien sûr, l'éternelle question du fardeau social de la maternité qui reste l'alibi parfait pour justifier les différences de traitement entre les femmes et les hommes.

Un autre facteur est déterminant : ce qui se passe avant l'école, l'éducation entre la naissance et l'âge d'un an, l'âge de la crèche. Il est encore difficile d'en déterminer les conséquences dans la plupart des pays, parce que plusieurs modèles cohabitent. Certains enfants ont connu la garderie publique, d'autres, la garde en milieu familial, d'autres encore ont été élevés au domicile des parents jusqu'à leur entrée à l'école primaire.

En Scandinavie, les enfants sont confiés très jeunes à un service de garde intégré au système scolaire. Les enseignants, les familles luttent pour l'égalité sur tous les plans. On apprend même aux garçons à uriner assis, « comme les filles » et à sortir du mythe du « viser juste », symbole de pouvoir masculin par excellence et d'un épouvantable manque de respect[125]. Pourtant, la chasse n'est pas finie. La violence est toujours présente, et les salaires des femmes sont toujours inférieurs à ceux des hommes.

Les principes de l'enseignement moderne ont été redéfinis vers la fin du XIXe siècle. À cette époque, l'école obligatoire constituait une révolution parce qu'elle arrachait les enfants à leur famille pour leur donner une éducation basée sur des concepts radicalement différents de ce qui existait auparavant. La langue, les sciences, l'histoire, la géographie, l'instruction civique en étaient les piliers. Au XIXe siècle en France, à l'époque de Jules Ferry, l'enseignement religieux a d'office été exclu du programme officiel, mais il pouvait être dispensé après les heures normales de classe.

---

124. Les femmes ne sont pas en majorité partout. Dans certaines disciplines scientifiques et dans certaines grandes écoles, elles sont toujours très minoritaires.

125. Falkehed, Magnus, *Le modèle suédois*, coll. Petite bibliothèque Payot, Lausanne, Payot, 2003.

Auparavant, les enfants n'apprenaient qu'à répéter la vie de leurs parents, à perpétuer les inégalités, les superstitions, à se résigner à leur sort. La mobilité sociale était nulle. On était fils ou fille de serf, d'ouvrier, de noble ou de bourgeois. Les écoles étaient inaccessibles à la plus grande partie de la population, au point où les deux tiers des Français ne savaient pas lire au début du XVIIIe siècle. Même dans les années 1950, dans les villages, il fallait parfois que les policiers aillent chercher des élèves chez leurs parents, cultivateurs ou petits commerçants attachés à une perception ancienne de l'éducation. « Mon fils sera épicier comme moi, il n'y a pas de honte à cela et ce n'est pas à l'école qu'il va apprendre le métier », entendait-on. Quant aux filles, il fallait les marier, ce qui donne une idée de la qualité de l'enseignement qui leur était dispensé et de l'âge auquel leurs études finissaient. Ne rions pas : en 2008, il y a encore des femmes qui abandonnent université et carrière pour « suivre leur mari ».

Aujourd'hui, les comportements des professeurs, des élèves, des parents continuent de façonner les genres[126]. Et quand des professeurs s'efforcent de traiter également filles et garçons, ils se font accuser de féminiser les garçons dès que la notion d'égalité est effleurée dans une classe.

Chaque jour, dans les pays les plus avancés, on remet encore en question la présence de femmes dans la police, dans l'armée, dans l'enseignement. Toutes les institutions, tous les procédés sociaux, toute l'organisation est masculine. Rien n'est organisé autour d'un projet humain commun, surtout pas l'école, surprise et dépassée par la réalité alors qu'elle a été créée pour la réinventer.

L'école du XIXe siècle rétablissait les équilibres sociaux et cognitifs en permettant aux plus démunis d'avoir accès aux connaissances, de communiquer. Elle voulait surtout qu'ils puissent faire mieux que de trimer comme leurs parents.

Chaque année, le palmarès des écoles du Québec nous confirme qu'il y a des écoles pour les riches, d'autres pour les pauvres. Nous continuons à enseigner des disciplines pour amener les enfants à l'usine ou au commandement, mais nous ne nous soucions ni des formes de l'organisation sociale, ni de celles du pouvoir. Nous répétons

126. Duru Bellat, Marie, « École de garçons et école de filles… », *Diversite : Ville-école-intégration*, n° 138, septembre 2004.

l'expérience du passé et nous nous étonnons ensuite de constater que les rituels se perpétuent invariablement d'une génération à l'autre.

C'est ainsi que les « banlieues » se sont faites (ce n'est plus en France seulement), par une lente érosion de la volonté publique de faire de chaque citoyen un citoyen libre et instruit. Si l'école est toujours un facteur de progrès – elle permet aux femmes d'accéder aux études supérieures -, elle continue néanmoins de transmettre les inégalités. L'école, c'est aussi la cour de récréation, les autres et leurs préjugés, et la mollesse des convictions ministérielles.

En ce qui a trait spécifiquement à l'égalité, tout se passe comme s'il n'existait plus aucun moyen d'évoluer, sauf d'attendre que le temps passe pour corriger un peu les rôles. Appelée à la rescousse pour justifier les discriminations, une interprétation de la biologie laisse entendre que les femmes n'auraient pas d'ambition, pas de talent de compositrice, ou de grande scientifique, à la manière des racistes qui louangent les compétences physiques des Noirs pour mieux suggérer qu'ils n'en possèdent pas d'autres.

Des livres traitent de l'héritage des siècles, qui interdirait aux femmes de savoir lire les cartes routières et aux hommes de pouvoir écouter deux conversations en même temps[127]. Pourtant, les élèves parviennent sans difficulté à écouter de la musique en faisant leurs devoirs. Il n'aura fallu qu'une génération pour y parvenir... C'est aussi ce que démontrent les études scientifiques sur le sujet. On sait maintenant que les femmes sont aussi bonnes que les hommes dans toutes les disciplines, arts ou sciences, et qu'il n'existe pas de matières réservées aux mâles, sauf dans les musées.

CHIFFRES ET LETTRES

Les deux tiers des 300 millions d'enfants de notre monde qui n'ont pas accès à l'éducation sont des filles, et les deux tiers des 880 millions d'analphabètes sont des femmes.

Dans vingt-deux pays africains et neuf pays asiatiques, le taux de scolarisation des filles est de 80 % inférieur à celui des garçons. Les pays où l'accès à l'enseignement est le plus ouvert, comme en Afrique

127. Isabelle Morissette, « La guerre des sexes – lettre ouverte à Radio-Canada », *sisype.org*, avril 2005, http ://sisyphe.org/spip.php ?breve329.

australe, en Amérique latine et dans la plus grande partie de l'Asie de l'Est, les filles sont plus nombreuses que les garçons.
Une augmentation de 1 % de la scolarisation secondaire des filles se traduirait par une augmentation de 0,3 % de la croissance économique[128].

La Suède a banni les châtiments corporels dans l'ensemble de la société. Donner une gifle à un enfant est illégal. Là encore, la rupture avec la nature est radicale. L'engagement est d'éduquer sans violence. La punition corporelle envoie des messages contradictoires aux enfants. Certains s'en tirent, d'autres pas. Des femmes battues pourront dire ainsi que le criminel qui les dominait avait raison de le faire, qu'elles avaient la certitude d'avoir commis des fautes justifiant un tel comportement, nous le voyons dans les études sur les « causes » invoquées de la violence du conjoint : « répondre » à son mari, lui servir son repas « en retard ».

La force est un moyen naturel de domination, et c'est le plus convaincant. Y recourir constituera toujours une tentation et l'apprentissage de l'égalité sera toujours une responsabilité sociale. Nous devrons désormais enseigner l'égalité de la même manière que nous enseignons l'interdiction de tuer : comme un engagement irrévocable. Il existe de nombreuses occasions d'utiliser la force. Il faut que chaque citoyen apprenne très tôt à ne pas s'en servir pour dominer les autres. Et là, déjà, nous entrons dans l'imaginaire masculin.

Un imaginaire catastrophique. Il est la courroie de transmission du pouvoir masculin. Il s'apparente au racisme en ce qu'il pose le postulat de la supériorité masculine, dans les cours d'école, dans les milieux de travail, dans les cercles d'hommes, mais surtout, dès la naissance, dans la relation avec la mère. Il raconte et invente de toutes pièces un univers féminin dont il ne connaît rien. Dans cette bulle, la femme possède tous les défauts du sexe faible, elle pleure, ne sait pas se défendre, ne comprend pas très bien, n'est ni intelligente ni forte et, quand elle pense, elle n'arrive pas à la cheville des hommes[129]. D'autres se demanderont, encore aujourd'hui, pourquoi réaliser cette égalité qui renverse les rôles traditionnels des genres, « qui ne fonctionnaient pas trop mal ».

---

128. « Droits des femmes, Bilan 2000 : Chiffres clés », *fraternet.com.*
129. « Les philosophes sont-ils misogynes ? », *l'Humanité*, 25 janvier 2001, www.humanite.fr/2001-01-25_Cultures_-Les-philosophes-sont-ils-misogynes

Le seul amendement à cette dureté, c'est le fait que les femmes sont aussi objets de désir et compagnes de vie : la maman et la putain. Mais cela n'enlève rien à l'horreur des mots, horreur qui se traduit dans la vie courante par une guerre dont nombre de femmes font les frais. Voilà l'origine de la violence.

Qu'il s'agisse des manuels scolaires ou du comportement des parents, des institutions et de leurs intervenants, le sexisme est omniprésent, à de rares exceptions près.

Toujours vigilantes, les autorités suédoises ont demandé aux municipalités de leur soumettre, au plus tard le 1er octobre 2008, un projet de panneaux de signalisation pour les passages piétonniers montrant l'image d'une femme plutôt que celle d'un homme. Ce n'est peut-être même pas une solution, mais les Suédois n'hésitent pas. C'est un symbole.

OBAMA EST-IL NOIR, THATCHER EST-ELLE UNE FEMME ?

C'est la question que les Anglais se posaient à propos de la Dame de fer, et les Américains se demandent à leur tour si Obama est Noir. Lisons : va-t-il renverser les rapports ? La réponse est non. Ce n'est pas le président qui est raciste, c'est l'ensemble des institutions ! La grande victoire d'Obama contre le racisme, ce sera simplement l'application des principes constitutionnels. Obama est un symbole, un catalyseur. Les Noirs auront l'oreille du président parce qu'ils sont des citoyens, pas parce qu'ils ont la même couleur de peau. On ne naît pas Noir, on le devient.

Quatre-vingt douze professeurs Noirs à Harvard sur un total de trois mille[130] : un clin d'œil à John Kenneth Galbraith qui demandait à son ami, recteur d'Harvard, combien de ses étudiants blancs avaient été appelés au Vietnam, pour se faire donner une réponse tardive et gênée : « Aucun[131]. »

Il ne s'agit pas de croire qu'une société de femmes serait meilleure ou pire qu'une société masculine, mais plutôt de rebâtir les sociétés sur une base plus large, puisque celles-ci comprendraient à la fois les

---

130. Boulet-Gercourt, Philippe, *Le Nouvel Observateur*, n° 2281, 24-30 juillet 2008.
131. Galbraith, John Kenneth, *La république des satisfaits*, Paris, Seuil, 1993.

hommes et les femmes. C'est donc bien à un changement démocratique révolutionnaire que nous devrions être conviés, bien plus qu'à une simple recherche d'égalité statistique dans une société prêt-à-porter. L'égalité n'est pas un remède aux problèmes actuels, c'est une nécessité qui s'est toujours imposée mais qui n'existe pas encore.

De l'imaginaire amoureux

L'imaginaire amoureux est un révélateur sociologique. Les dessins des adolescents, ces « Y » que nous tracions sur le papier entre deux courbes pour représenter une femme nue, les histoires que les hommes se racontent entre eux, la littérature définissent concrètement le comportement. À l'école, on peut surprendre des attitudes issues de l'entourage familial, qui paraissent ridicules parce qu'elles ne sont qu'une imitation, un jeu d'acteur hors de tout contexte, mais aussi un apprentissage redoutable.

Dans l'Europe traditionnelle , les peines amoureuses sont subies comme des catastrophes sans que personne n'ait jamais eu l'occasion d'en parler avec les enfants quand il en était encore temps. Plus tard, les comportements resteront gravés et le cycle recommencera.

L'imaginaire amoureux est l'une des causes de la violence. À l'appui de cette thèse, donnons l'exemple fréquent du père qui tue ses enfants et se suicide après le départ de sa conjointe alors qu'il a toujours mené une vie exemplaire et tranquille, ce dont attestent les voisins et les proches. Ce fut le cas du maire de Boucq en 2003[132].

L'imaginaire des garçons, c'est un imaginaire de prédation, ce n'est pas un imaginaire de relation. Les enfants sont capables d'apprendre et de reproduire cette violence comme n'importe quel autre comportement sans que rien ne puisse le justifier. La violence n'est jamais gratuite : c'est l'apprentissage du pouvoir.

Les enfants expérimentent le rejet, la rupture, la jalousie en apprenant et en jouant des comportements préétablis comme s'il s'agissait de réponses adéquates à ces situations. Et dans cet univers amoureux, ils apprendront la colère, le silence, la résignation, le sentiment de possession, le rêve et la manière d'entrer dans la vie, de devenir adulte, de fonder une famille. Les enfants ont besoin de

132. Chambon Frédéric et Monique Roux, « Le maire d'un petit village, séparé de son épouse, étouffe ses trois enfants avant de se suicider », *Le Monde*, 24 septembre 2003.

définir leur identité très jeunes et, comme le soulignait Marshall McLuhan, la violence est la seule réponse à l'absence d'identité. Mais justement, quelle identité? Plusieurs, dont Elisabeth Badinter, prônent le maintien de la division sexuelle du travail pour éviter (ou simplement par peur) que sa disparition remettre en question l'identité sexuelle[133]. Pour les prophètes de malheur, cela devrait conduire à la disparition de la complémentarité entre hommes et femmes, mais Elisabeth Badinter reconnaît tout de même l'indestructibilité de la complémentarité anatomique et du désir. Tout ça pour ça?

Pascale Molinier fait pour sa part une différence de taille entre les identités sexuelles: celle de la femme est indexée à ce qu'elle est, tandis que celle de l'homme est indexée à ce qu'il fait. Elle pose alors la question: qu'est-ce qu'une femme de 30 ans qui n'a pas d'homme, pas d'enfant? Puis elle nous confirme que la violence s'installe dans cette identité par le jeu, et par les rites d'exclusion ou d'initiation que sont les bagarres, l'intimidation[134].

Cette réflexion nous porte à croire que les Suédois ont visé juste en ciblant la création des identités pour tenter de sortir des ornières comportementales dans lesquelles les enfants s'installent très jeunes. Si une identité masculine existe réellement, ce n'est certainement pas pour exercer toute cette violence et ce manque de respect: elle doit se trouver ailleurs, et il est urgent de la redéfinir. Quant à l'identité féminine, elle a pris de l'avance et nous la voyons poindre dans cette nouvelle diversité, dans un renouveau social qui est reconnu au coup par coup au Québec, dans les pays du Nord, dans des pays arabes, en Afrique, en Amérique du Sud; sommes-nous vraiment «en avance» dans notre propre pays?

L'éducation ne remplace pas l'imaginaire, mais elle le libère. Désormais, existera une certitude: la violence peut être harnachée.

Un loup pour l'homme?

S'il faut, dans l'immédiat, rechercher les causes, les origines de l'inégalité entre les genres, la principale se trouve dans l'essence même du règne animal. L'histoire des humains, probablement pour des

133. Badinter, Élisabeth, «L'amour à réinventer», *Nouvelles Clés*, n° 58, été 2008.

134. Molinier, Pascale, *L'énigme de la femme active*, coll. Petite bibliothèque Payot, Lausanne, Payot, 2006.

raisons physiologiques et biologiques, est parvenue à une séparation des rôles et à l'établissement d'une hiérarchie basée sur la force et la domination, comme dans d'autres sociétés animales. Mais il ne s'agit pas encore de la « fin de l'histoire », d'un système de relations fini et élaboré, mais au contraire d'un tournant dans l'histoire de l'humanité. Un tournant obligé.

Darwin nous a montré que l'évolution d'une espèce est la conséquence de mutations qui se sont produites au hasard chez certains individus. Ceux qui ont survécu les ont transmises à leurs descendants. Ce ne sont donc pas les connaissances acquises par les individus qui sont transmises par la reproduction.

La polarisation des sexes, la fonction de guerrier et celle de ménagère, ce n'est pas du darwinisme, ni le résultat d'une évolution génétique : ce sont des valeurs culturelles que nous transmettons à nos descendants. L'être humain n'est pas devenu « meilleur » à force de sélection naturelle : il est toujours le même, et c'est pour cela que les plus horribles déchaînements de violence peuvent se produire à n'importe quel moment de notre histoire, à moins que nous ayons la volonté de les enrayer. Pourquoi en est-il ainsi ? Parce qu'il ne s'est pas encore produit de mutation chez l'être humain qui aurait supprimé l'agressivité. Il nous faut apprendre chaque jour à la maîtriser.

En clair, si nous le voulons, nous sommes libres de continuer d'évoluer, de refuser la tradition. Le besoin de passer l'aspirateur n'est toujours pas inscrit dans les gènes des femmes, ni la guerre dans ceux des hommes, pas plus que la lecture des cartes routières ou l'amour du hockey. Nous pouvons reformuler nos rapports sociaux, notre croissance, notre présence, notre empreinte sur la planète en nous rappelant que nous pouvons bien disparaître dans un cataclysme naturel, mais qu'il existe une forte probabilité que nous disparaissions à cause de notre comportement, le plus violent du règne animal.

L'espèce humaine a une certaine tendance à croire que tout ce qui se fait dans l'univers a une origine désirée et nécessaire. C'est d'ailleurs aussi un droit constitutionnel, celui de croire, mais, à notre avis, ce n'est pas la réalité.

Natalie Angier, dans son merveilleux ouvrage *Femme*, s'interroge à propos de l'arrivée du sein chez la femme, un organe beaucoup moins développé chez les autres espèces[135]. Des théories veulent démontrer qu'il s'agit d'une évolution induite par le passage des hominidés à la station debout, le sein dans sa forme actuelle devenant ainsi une image nécessaire des fesses destinée à attirer le mâle. Mais ce pourrait être aussi causé par un changement dans l'alimentation ou par autre chose encore !

Nous ne connaissons pas la réponse, en effet. Peut-être n'en existe-t-il aucune, et s'agit-il d'un hasard darwinien dont les hommes se sont emparés. Mais si tout n'est pas déterminé par un dieu ou par une volonté de la nature, les conséquences, elles, sont bien réelles et vécues. Et tout a une conséquence.

L'engagement évoqué au début de cet ouvrage implique un défi énorme mais possible, celui de ne plus agir seulement comme le plus destructeur des animaux, mais de contrôler notre évolution, notre reproduction… et notre avenir.

Nous pouvons conclure ce chapitre sur les causes de l'inégalité en rappelant l'opposition entre la notion de pouvoir et celles de liberté, d'égalité et de démocratie. Un regard dans le rétroviseur nous montre le chemin parcouru. L'idée de progrès est une idée de changement. Les projets de société que nous faisons lorsque nous nous organisons en nations, en pays, lorsque nous créons des institutions, visent à changer nos mœurs, à quitter des sentiments « naturels » (lisons traditionnels) qui nous empêchent de vivre en harmonie et en paix, à renier les parties les plus sombres de notre passé.

Certaines élites n'apprécient guère les libertés constitutionnelles et posent les deux pieds sur les freins, invoquant des principes « démocratiques[136] », au motif de l'ordre public ou de n'importe quelle autre raison. Une seule cependant subsiste : le maintien des privilèges. Rares sont les très bien nantis qui réclament un changement.

---

135. Angier, Natalie, *Femme*, Paris, Robert Laffont, 1999.

136. En Angleterre, l'archevêque de Canterbury voudrait appliquer la charia aux musulmans (et peut-être le droit canon aux catholiques). Au Québec, Françoise David, porte-parole du parti Québec solidaire, est en faveur du port du hidjab à l'école. Carrier, Micheline, « Y aurait-il des femmes plus aptes à la liberté que d'autres ? Réponse à Françoise David », *sisyphe.org*, 17 juin 2008, http://sisyphe.org/sisypheinfo/spip.php?article169.

La laïcité est partout remise en question au nom de cette même liberté qui a amené la liberté de religion ; il faudrait maintenant accepter que cette même religion nous guide ?

Peu de personnes sont prêtes à croire aux bénéfices du changement, tant elles sont persuadées qu'il n'existe aucune autre manière d'être que celle qu'elles connaissent. L'école ne dément pas cette croyance. Les valeurs qu'elle transmet restent celles des parents et des cours de récréation. Ceux qui utilisent la force sont certains qu'elle constitue la seule manière de réussir, et c'est l'une des raisons (il y en a d'autres) pour lesquelles ce mythe se perpétue. Tout comme de petits chefs croient que sans leurs colères, ils ne parviendraient pas à gérer leur petit monde. Toujours ce vieux débat sur la nature humaine.

Quatrième partie : Les solutions

Le cadre des solutions possibles

Nous vivons dans des sociétés très sophistiquées, gigantesques comme les disparités que nous devons résoudre. Un chiffre : 29 % des Montréalais, 600 000 personnes, vivent sous le seuil de pauvreté[137]. Si nous y ajoutons les statistiques concernant la violence et les diverses formes de discrimination, nous comprenons que nous ne dissertons pas dans ce livre sur la nécessité de faire garder un enfant, ni même seulement sur la parité des salaires, mais sur un problème de société, un projet de développement urgent qui s'adresse à tous les citoyens de tous les pays.

Nulle part dans le monde les femmes ne sont les égales des hommes, nulle part elles n'ont entièrement accès, comme les hommes, à la vie politique et sociale.

Lorsqu'elles forcent cet accès et qu'elles obtiennent enfin un certain pouvoir, elles se retrouvent vite à travailler avec les mauvais outils – les institutions de création masculine – et dans le mauvais contexte : elles doivent la plupart du temps concilier leur travail avec « leur » vie familiale, ce que les hommes n'ont toujours pas à faire. Et comme elles ne sont pas en mesure de changer le fonctionnement des institutions, elles en sont encore les victimes. Dès lors qu'elles s'approchent du véritable pouvoir, elles peinent à intégrer des structures politiques dépassées, à adopter un comportement traditionnellement masculin pour éviter de se voir rejetées d'un système de mixité, par opposition à l'égalité qui présuppose l'entière liberté de pouvoir.

Qu'une femme ou un homme soit ministre des Finances ne change pas grand-chose à la disponibilité d'efforts et de fonds pour l'égalité. Le résumé de Barak Obama colle merveilleusement avec notre propos : « Soyons très clairs : résoudre les problèmes raciaux dans ce pays

137. *La Presse*, samedi 13 septembre 2008.

nécessitera des mesures concrètes, un investissement significatif. Nous aurons un gros boulot pour nous débarrasser de l'héritage des lois Jim Crow [abolies en 1964] et de l'esclavage. Cela ne se fera pas au rabais (...) [Et] ces problèmes ne seront pas résolus par le seul fait d'élire un président Noir[138]. »

Pour qu'un réel changement se produise, il faudrait qu'un chef de gouvernement fort, ou qu'une cheffe (comme disent les Suisses) forte, s'assure de l'appui des organisations chargées de la promotion de l'égalité, ainsi que de celui des associations concernées, pour réaliser des progrès importants en mettant en place de nouvelles institutions.

La présence égalitaire des femmes dans le travail ne sera jamais suffisante pour assurer l'égalité entre les femmes et les hommes : il restera la violence, il restera l'éducation, il restera la compétition, un lourd bagage social dont nous n'avons même pas conscience. Il n'est pas important que les femmes soient meilleures ou moins bonnes en politique : ce qui importe, c'est le renouvellement de la société, de la démocratie, la mise en application des principes constitutionnels laïques et modernes[139]. Et l'on imagine mal, une fois ce mouvement enclenché, que le principe d'égalité ne débordera pas sur toutes les autres inégalités, sur les discriminations, sur les racismes. En Norvège, contrairement aux idées reçues, plusieurs politiciens d'origine étrangère siègent au Parlement ou au sein des conseils municipaux, et la Norvège est aussi le pays le plus avant-gardiste en matière de lutte contre la corruption. Une ébauche de perfection démocratique...

Le président Obama s'est empressé d'étendre sa lutte contre le racisme aux autres discriminations dans son discours de victoire. Le président américain aurait pu être une femme.

Utopie ? Quelques penseurs croient que la démocratie doit être ce qu'ils appellent une « méritocratie », l'accès au pouvoir au « mérite ». Mais où est le mérite et où est la récompense ? Nous avons besoin de tout le monde en société. Laisser un tiers de la population dans un état d'inaptitude est inintelligent et contre-productif. C'est là que la démocratie déraille. Mobiliser nos énergies pour réintégrer les démunis dans la collectivité, voilà où se trouvent le bénéfice et le mérite de notre

---

138. Boulet-Gercourt, Philippe, *Le Nouvel Observateur*, n° 2281, 24-30 juillet 2008.
139. Rappelons que même la Constitution des États-Unis ne parle pas de Dieu, contrairement à une croyance répandue.

action : une société plus stable, plus riche, plus diversifiée (puisque sans exclusion) et donc à même de pouvoir inventer encore de meilleurs moyens de vivre.

Dans plusieurs pays, des mesures, sinon des solutions, sont appliquées du jour au lendemain, comme on l'a fait en Norvège avec les conseils d'administration paritaires des entreprises, ou au Québec avec un gouvernement paritaire surprise. La plupart des États pourraient mettre sur pied de tels gouvernements paritaires en quelques heures, ou nommer des femmes à des postes-clés : économie, affaires étrangères, intérieur, armée… Il n'y a pas cinq ans, nous n'y aurions pas cru ; aujourd'hui, il nous suffit de regarder et de choisir. Des femmes de talent, il y en a partout, elles sont là et attendent.

Les institutions

Josep Borrell Fontelles[140], ancien président du Parlement européen, croit que les politiques se font à travers les institutions. Il explique : « Les gens discutent de questions politiques concrètes parce que les procédures et les institutions sont là. Nous avons un gouvernement, un Parlement, des institutions judiciaires, et les gens comprennent comment ça marche. Ce n'est pas le cas en Europe… mais le fait est là, l'existence de nouvelles politiques suppose l'existence de procédures adéquates[141]. »

En d'autres termes, l'Europe a besoin de nouvelles institutions, de nouveaux forums, dont le fonctionnement est bien assimilé par les peuples, et à la construction desquels les femmes auront participé, ajouterons-nous. L'ancien Président poursuit : « […] les politiques ne poussent pas dans les arbres, elles ne sont pas le fruit de la nature, elles ne tombent pas du ciel quand il pleut ! Les politiques se font à travers les institutions. Par quel miracle aurait-on demain de bonnes politiques avec de mauvaises institutions ? Les institutions de Nice ne sont pas adaptées à une Europe à 25, demain à 27[142]. Je souhaite ardemment qu'on fasse de bonnes politiques, mais si l'Union est en

140. Josep Borrell Fontelles a a quitté l'école primaire à 10 ans pour suivre des cours par correspondance avant de reprendre un cursus normal à l'université. Il est devenu ingénieur en aéronautique, puis docteur en sciences économiques.

141. *Alternatives économique*, n° 245, mars 2006, p. 34.

142. En 2009, l'Europe compte 27 États membres.

panne de projets aujourd'hui, c'est aussi qu'elle n'a pas les institutions nécessaires pour les définir et les porter. On ne peut donc négliger les questions institutionnelles au motif qu'elles n'intéresseraient pas les gens[143]. »

De quoi comprendre les « non » du Danemark, de la France, de la Pologne et, plus récemment, de l'Irlande. Voilà surtout une analyse qui s'applique à la participation des femmes à la vie politique et qui nous fait comprendre pourquoi des institutions créées par des hommes ne peuvent permettre l'intégration totale et égalitaire des femmes dans nos sociétés. Un exemple : pourquoi la carrière d'une femme qui quitte son travail pour s'occuper d'un enfant est-elle pénalisée alors celle d'un homme qui ferait la même chose pour occuper un siège de député est bonifiée ? Parce qu'elle redevient idiote pendant son congé ?

Nous pourrions donc dire avec l'ancien président du Parlement européen : « En visant directement la reconstruction paritaire des institutions, nous pouvons créer une société égalitaire et profiter enfin de l'apport considérable de cette moitié de nous-mêmes[144]. »

D'autres facteurs viennent cependant ralentir ou empêcher la possibilité de politiques féministes de rattrapage : l'inertie des institutions et une certaine collusion entre les forces en jeu, entre les élus et leurs commanditaires. Il ne faut pas se faire d'illusions, les candidats qui se présentent et qui ont des chances de réussir sont appuyés par les groupes de pression, les lobbies, les entreprises, puis présentés au public qui a le choix entre deux, parfois trois candidats de différentes tendances. Ces groupes de pression décident à l'avance ce qu'il est possible de faire pour un gouvernement, et le gouvernement détermine sa marge de manœuvre.

Les solutions passent inévitablement par une reconstruction de nos manières de vivre, de nos institutions. Louise Arbour, haut commisaire aux droits de l'homme, disait que le droit actuel ne permettait pas d'intervenir dans les pays qui ont besoin d'aide humanitaire parce que les gouvernements opposent toujours l'obstacle de la souveraineté, et qu'il fallait donc trouver d'autres moyens pour casser cette dynamique de l'humanitaire toujours écrasé par le politique.

---

143. *Alternatives économique*, nº 245, mars 2006, p. 34.
144. *Ibid.*

Il faut aussi trouver d'autres moyens en amont de la violence, en amont de nos excès, au début de l'enfance. Pas en « repérant » les enfants violents, comme le voudrait le président français, mais en éduquant spécifiquement. Des instances sont nécessaires pour aider les enfants en bas âge et leur permettre de rattraper leur retard. Cela devrait se faire en collaboration avec les parents, au sein d'organismes qui n'existent pas encore sous une forme achevée.

Les comités de parents ne jouent pas ce rôle, les commissions scolaires du Québec non plus : les commissaires, élus par des « majorités » ridicules, parfois 3 ou 4 % des électeurs inscrits ou potentiels, sont le plus souvent des conservateurs qui s'inquiètent plus de la présence de machines distributrices de condoms dans les écoles que des avortements à répétition que subissent les adolescentes.

Les ministères sont à revoir ; non seulement leur nom, mais leur fonction : ministre de la Famille ou ministre de l'Égalité ? Maintenir la famille en l'état actuel ou en reconnaître les nouvelles formes ? Concevoir la finalité des aides relatives à l'enfance pour faire monter le taux de natalité ou pour permettre aux femmes de travailler et partager éventuellement la charge des enfants ?

C'est aussi là que le lien avec la démocratie est le plus actuel : les femmes doivent exercer le pouvoir au même titre que tous les autres citoyens, et ce, malgré les sornettes sur le manque d'intérêt des femmes pour la chose politique. Même après des années de luttes des femmes, nous sommes encore aveugles aux barrières érigées par la société masculine. Sans redéfinition collective des règles du jeu, point de véritable libération ni d'égalité.

La deuxième partie de l'équation égalitaire, c'est l'urgence. Manifestement, il n'y a que les ONG et les artistes pour sensibiliser les gouvernants. Il faudrait un véritable ministère du Rattrapage social dans à peu près tous les pays. Que dire à ces milliers de femmes et à leurs enfants qui forment l'essentiel des classes pauvres dans les ghettos des métropoles, dans les favelas, dans les cités ? « Attendez encore quelques années », ou encore : « Les changements doivent se produire lentement » ? C'est aujourd'hui qu'elles doivent avoir accès à leur société au même titre que tous les autres citoyens.

Le principe le plus raisonnable, quand une injustice est constatée, c'est de la réparer pour les nouvelles générations et, simultanément, de faire disparaître les conséquences passées de cette injustice. Nous commençons à accepter l'idée d'une deuxième, d'une troisième chance. Pour cela, nous n'avons pas besoin d'attendre que les institutions s'adaptent, que l'entreprise et le « marché » évoluent : il faut payer tout de suite et investir pour que les victimes des injustices n'en transmettent pas les suites à leurs enfants.

Cela veut dire, en clair, plus d'argent pour les familles les plus pauvres. Sur ce point, beaucoup de personnes sont d'accord : les citoyens veulent un monde plus juste, plus humain. C'est l'un des aspects les plus surprenants de la disparition (partielle) des clivages politiques : des personnes de toutes les classes sociales sont prêtes à consacrer des fonds et du travail à ce grand rattrapage social que nous évoquons. Un slogan pour le XXIe siècle ? Marre de la pauvreté, marre de la richesse.

Sans cette volonté de s'investir dans un changement réel et définitif, les sociétés risquent de créer des classes de citoyens qui vont s'opposer les unes aux autres, parce que les inégalités sont héréditaires. Les riches payant indéfiniment pour « la solidarité » entretiennent ainsi les pauvres dans une misère permanente. C'est d'ailleurs toujours ce que nous avons fait.

La solution scandinave ou « l'affirmation » américaine ?

L'intérêt de la solution scandinave, c'est qu'elle est cohérente et démocratique. Dès le départ, les pays du nord de l'Europe ont pris parti en faveur de l'égalité entre les femmes et les hommes, pour des raisons assez variées d'un pays à l'autre. L'Islande, un pays de pêcheurs et donc de femmes autonomes, abrite aussi le Parlement le plus ancien du monde actuel. La Norvège a connu l'extrême pauvreté, mais les femmes y ont obtenu le droit de vote dès 1913, 15 ans après les hommes. La Suède et le Danemark sont des pays de guerriers convertis à la paix. La Finlande n'a longtemps existé que comme province suédoise, ou Grand-Duché russe. Elle profita de la révolution russe de 1905[145] pour révolutionner son régime politique et instaurer le premier scrutin vraiment universel d'Europe (1906), puisque les femmes ont pu voter au niveau national… Un an plus tard, la première femme siégera au

145. La mutinerie du cuirassé *Potemkine* en 1905 a préfiguré la révolution de 1917.

Parlement. La fermeture des bordels aura lieu en 1908[146]. Depuis 1864, les Finlandaises âgées de plus de 25 ans exerçent déjà les mêmes droits que les hommes.

Si la marche vers l'égalité est nordique, elle a pris ses racines dans des situations différentes. De là, peut-être, la convergence vers une égalité ressentie de plusieurs manières et donc capable de toucher tous les citoyens. Les pays scandinaves, dans un même élan, se sont occupés des handicapés, des personnes âgées, des minorités. La résurgence de problèmes de criminalité[147] et de problèmes sociaux soulignée par les intellectuels[148] s'ajoute à ces préoccupations. Une caractéristique des modèles nordiques : les réformes du droit pénal ne vont pas, comme presque partout ailleurs, dans le sens du durcissement des peines, mais dans celui de la réintégration et de la poursuite du projet social… comme au Québec. Les Scandinaves croient toujours que l'être humain peut se bonifier, et ils mettent tout en œuvre pour y parvenir.

Les Nordiques ont également eu une intuition de génie en basant leurs sociétés sur le développement personnel. La formation du couple n'est plus le seul but de la vie. Ce type de collectivité basée sur les personnes devient une tendance mondiale : l'idée moderne de démocratie veut que des citoyens libres, éduqués et épanouis construisent l'édifice social.

Contrairement à ce que prône le communisme, dans les nouvelles sociétés laïques, les individus, les citoyens (et, à ce titre, figurent les enfants qui ont des droits dont l'exercice est soutenu par l'État, même s'ils ne peuvent exercer tous les devoirs du citoyen) sont au centre de la société. Ils ont des droits et des devoirs précis. Les parents élèvent leurs enfants et choisissent librement leur mode de vie, mais l'État prend en charge l'équité en échange d'un engagement social organisé, contraignant mais librement consenti.

---

146. « Gender equality in Finland », *Equality*, 29 novembre 2006, www.tasa-arvo.fi/Resource.phx/tasa-arvo/english/index.htx

147. Officiellement, la Suède a le plus haut taux de criminalité d'Europe, mais les comparaisons sont délicates parce que ce qui est un crime dans un pays ne l'est pas dans un autre (gifler un enfant, solliciter des services sexuels). Miles, Bryan, *Le Devoir*, 31 décembre 2007.

148. Anquetil, Gilles et François Armanet, « Ce qui me révolte », *Le Nouvel Observateur*, nº 2253, 10 janvier 2008.

Notons que les pays nordiques ne possédaient pas de richesses (à part la Norvège récemment) sur lesquelles elles auraient pu appuyer leur orientation. C'est au contraire l'organisation du travail et de la société qui a bâti des économies résilientes. On dit même que les Finlandais, avec une forêt plus petite et plus fragile, parviennent à produire plus de bois que le Québec. Tout est question de volonté collective.

La charge fiscale est lourde, mais les services sont nombreux et efficaces[149]. Par exemple, le système de garde des enfants les prend en charge à partir de l'âge d'un an. La très importante disparité dans la qualité des services, que l'on retrouve dans les pays qui multiplient les systèmes grâce aux allocations de garde ou aux déductions fiscales, n'existe donc pas dans les pays scandinaves. En Suède, le service de garde est intégré au système éducatif, ce qui assure une continuité dans le processus.

Toujours en Suède, les moyens mis en œuvre pour prévenir les comportements masculins et féminins stéréotypés sont imposants et universels : tous les enfants ont accès à la même éducation. Les crèches ont été filmées afin de découvrir comment le comportement des intervenants pouvait influencer les enfants. Plus encore, si un groupe est particulièrement vulnérable, pour des raisons économiques par exemple, l'ensemble de la société s'accorde pour lui fournir les moyens nécessaires au rétablissement de « l'égalité des chances ». Les communes doivent accueillir tous les enfants, y compris ceux qui souffrent d'un handicap[150]. Malgré toutes ces mesures, toutefois, il existe des points chauds, des banlieues d'immigration, mais cette réalité ne peut que renforcer notre propos sur l'importance des efforts à consentir.

Les réformes des pays du Nord sont cohérentes dans la manière de faire et dans le temps : dès qu'une réforme tombe en panne ou crée des effets imprévus, de nouvelles solutions sont immédiatement apportées. Bien d'autres pays évoluent par crises successives,

149. En 2004, les dépenses de protection sociale en Suède atteignaient 32,9 % du PIB, contre 31,2 % pour la France. En Suède, la protection n'est pas déficitaire : elle est presque intégralement financée par les cotisations sociales. Les réformes sont entreprises avec l'ensemble des partenaires sociaux concernés, ce qui assure une grande stabilité au système.

150. Selon le modèle importé en France du « droit opposable » (droit opposable au logement, par exemple).

quitte à mettre de côté quelques milliers de places en garderie pour une prochaine élection.

Nous ne qualifierons pas de « modèle » l'amélioration constante et tout de même spectaculaire de la condition des femmes américaines, parce qu'elle ne les touche pas toutes. Celles qui sont moins éduquées, Noires ou Blanches, constituent toujours une « réserve » de main-d'œuvre à bon marché qui fait partie du système économique américain, profondément inégalitaire, jusque dans ses racines. C'est ce qui donne à ce pays cette résilience économique (et politique !) extraordinaire. Lors de la dernière grande crise américaine des années 1990, alors que les Européens voyaient déjà la fin de l'empire, l'économie américaine a repris son aplomb en quelques mois : une main-d'œuvre avide de travailler à bas prix et de consommer, une culture de la consommation qui continue de se répandre à travers le globe grâce au Pentagone, la branche armée de l'industrie, ont suffi à dépasser des économies plus éthiques qui préservaient les progrès humains même en période de crise. L'économie des pays nordiques est aussi considérée comme très résiliente à cause du haut degré d'éducation et de formation des individus. Et cette efficacité n'a pas besoin d'un harem de pauvres[151].

Les Scandinaves sont habitués aux progrès instantanés spectaculaires, allant au-delà de tous les espoirs et faisant exploser toutes les peurs. À l'instar de la politique de « zéro mort » sur les routes de Suède[152], en s'inspirant de ce qui se fait pour les femmes dans ce pays et dans les autres pays scandinaves, demain matin, nous pourrions, ici au Québec et ailleurs, réduire considérablement la violence, l'injustice, et nous mettre à jour sur la parité, l'égalité et la dignité.

Il est intéressant de constater que les progrès scandinaves ont une influence profonde sur les autres pays, preuve de l'émergence d'une sorte de conscience planétaire. La contraception, l'avortement, la nomination des femmes aux postes-clés sont contemporains dans la plupart des pays dits développés. L'Espagne a concrétisé récemment les volontés populaires par des lois pour l'égalité et surtout par la pratique : les gouvernements sont maintenant paritaires.

---

151. Ben-David, Dan, Hakan Nordstöm et L. Alan Winters, *Commerce international, disparité des revenus*, Genève, OMC, 2000.
152. Cognard, Alain, *La Belle Province des satisfaits*, Montréal, VLB éditeur, 2003.

Une incursion dans le domaine « privé »

Le 28 décembre 2005, la Norvège a promulgué une loi obligeant les entreprises à former des conseils d'administration paritaires. Le 21 février 2002, Ansgar Gabrielsen, un chrétien alors ministre conservateur du Commerce et de l'Industrie, a convoqué un journaliste pour lui annoncer son intention de proposer un projet de loi pour contraindre les sociétés publiques (cotées en bourse) à nommer des conseils d'administration paritaires.

Les femmes qui occupent déjà des postes de dirigeantes rejettent généralement ce genre de mesures, voulant être nommées pour leur compétence et non pas à cause d'une loi. Pourquoi si peu de femmes dans les conseils d'administration[153] et encore moins parmi les chefs d'entreprises? L'argument selon lequel « le phénomène » de l'arrivée des femmes dans le milieu des affaires est trop récent n'est plus acceptable : les femmes y sont actives depuis aussi longtemps que la plupart des hommes qui leur font face. D'ailleurs, nombre de PDG ou d'administrateurs de très grandes entreprises ont commencé leur carrière en tant que chefs d'entreprises ou dans des postes-clés, comme plusieurs femmes. La différence, c'est que parmi ces dernières, beaucoup ont vu leur nomination leur passer sous le nez au dernier moment.

Gyrid Skalleberg, une femme d'affaires norvégienne qui était auparavant opposée à cette loi avant sa proclamation, explique : « Les gens d'affaires disaient qu'il n'y avait pas assez de femmes compétentes pour atteindre les 40 %. Ce n'est pas vrai. C'est simplement qu'elles ne sont pas nommées aux conseils d'administration. Cette loi est une fenêtre qui va enfin nous permettre d'accéder aux plus hauts échelons[154]. »

En clair, s'il n'y a pas parité, c'est parce qu'il y a discrimination. Ce n'est jamais agréable de devoir revendiquer ses droits, ni d'être forcé de bénéficier de mesures ciblées pour les exercer.

Dernière preuve, enfin, de la nécessité d'une réglementation : des administrateurs masculins siègent à des dizaines de conseils, bien au-delà de ce que le temps leur permet. Des séances du conseil d'administration

153. Selon un rapport du groupe de recherche Corporate Women Directors International (CWDI), 11,2 % de femmes seulement siègent au conseil d'administration des 200 plus grandes sociétés internationales.
154. SCHAËFFNER, YVES, « Norvège : parité bien ordonnée... », *Elle Québec*, 2008.

de l'UQÀM portant sur un développement immobilier d'une valeur de plusieurs centaines de millions de dollars se sont réduites à quelques coups de téléphone à des administrateurs. Existe-t-il des compétences masculines particulières qui rendent les hommes capables de tels exploits ?

En Norvège, le ministère compétent se nomme le « ministère de l'Enfance et de la Parité ». Ce n'est pas un hasard[155] ; toujours cette cohérence. En France, la critique de la loi norvégienne est sévère : « À cause de cette loi, des femmes [sous-entendu : les plus compétentes, voire les moins mauvaises (NDLR)] seraient harcelées par les entreprises contraintes de combler des postes d'administrateurs féminins[156]. »

En fait, les conseils d'administration des entreprises sont toujours cooptés et l'on retrouve, partout dans le monde, quelques petits groupes d'hommes qui occupent des postes d'administrateurs dans un grand nombre d'entreprises et qui constituent des réseaux, ce qui peut conduire à une forme de corruption plus ou moins sévère. On ne peut pas réellement dire que la loi norvégienne instaure une discrimination positive, mais plutôt qu'elle interdit la discrimination aux plus hauts niveaux...et qu'elle a des dents !

Si certaines siègent sur plusieurs conseils, c'est sûrement parce que leurs compétences sont recherchées. Quant au reproche qui leur est fait de siéger sur des conseils grâce à une loi coercitive, aucun actionnaire sérieux ne semble y souscrire ! La légitimité est toujours du côté des évidences : la force, la coercition est très certainement exercée par ceux qui ne sont pas parvenus à embaucher à peu près autant de femmes que d'hommes : la statistique montre la faute, puisque plus de 50 % des étudiants universitaires sont des étudiantes...

---

155. Les noms des ministères voués à l'égalité sont révélateurs : ministère de l'Égalité en Espagne, de la Parité et de l'Egalité professionnelle en France, de l'Égalité des chances au Luxembourg, de l'Égalité entre hommes et femmes et du Développement au Liberia, Secrétariat spécial pour les femmes au Brésil, de la Culture, des Communications et de la Condition féminine au Québec, des Droits de l'homme, des Minorités ethniques et de l'Égalité en République Tchèque, de l'Intégration et de l'Égalité en Suède, de la Famille, des Personnes âgées, des Femmes et des Jeunes en Allemagne.

156. Jacob, Antoine, « Les entreprises se féminisent sous la menace », *Le Figaro*, 26 décembre 2007.

Il existe maintenant d'autres manières de diriger des entreprises. Même parmi les hommes, on trouve des chefs d'entreprises plus calmes, doux, sensibles, écologistes, humanistes : toutes les facettes de la personnalité tendent de plus en plus à s'exprimer, alors qu'il n'y a que quelques années, les patrons se contentaient d'être des « meneurs d'hommes », des tyrans. Une évolution très lente, mais qui s'accélère avec l'arrivée des femmes dans le système.

Puisque nous parlons de gestion, rendons hommage à l'incommensurable apport des femmes dans l'approche de problèmes apparemment insolubles : Palestine, Afrique du Sud, Pakistan, Bolivie, Rwanda, Argentine, Chili. Ce n'est pas un hasard si elles émergent un jour dans des pays qui sont, par la plupart d'entre nous, ignorés : c'est, sans doute, le sens de l'histoire.

DÉMOCRATIE DE REPRÉSENTATION ?

Dans une douzaine de pays, aucune femme ne siège encore au parlement, et dans huit au moins, elles n'ont pas le droit de vote. Les femmes représentent aujourd'hui environ 18 % des parlementaires du monde entier, contre 7 % en 1975. Ce n'est pas un progrès, c'est une autre pièce à conviction. Dans une vingtaine de pays, la proportion de femmes au parlement national atteint au moins 30 % (objectif fixé par la quatrième Conférence mondiale sur les femmes), pays parmi lesquels on retrouve le Rwanda, Cuba, l'Argentine, le Costa-Rica, la Nouvelle-Zélande et bien sûr les pays scandinaves (avec plus de 40 %). Plusieurs autres pays en développement ont vu la place des femmes au parlement augmenter nettement au cours des 25 dernières années : l'Ouganda (de 1 % à 30 %), l'Équateur (de 1 % à 25 %)... Aux Bahamas et à la Barbade, cette proportion a toutefois régressé. Les femmes occupent de plus en plus de postes ministériels en Espagne (50 %), dans les pays nordiques (Finlande : 60 %) et aussi en France. Bien sûr, les chefs d'État sont en majorité des hommes[157].

---

157. « Les femmes et les hommes dans la prise de décision : Base de données-domaine politique : gouvernements nationaux », *Commission européenne : emploi, affaires sociales et égalités des chances*, http ://ec.europa.eu/employment_social/women_men_stats/out/measures_out416_fr.htm

Le Québec

Signe des temps ? Peu après l'avancée norvégienne de 2006, le Québec a installé un gouvernement paritaire et passé une loi exigeant la parité dans les conseils d'administration des entreprises publiques (gouvernementales). Récemment, une femme, Pauline Marois, est devenue, pour la première fois, chef d'un parti politique, le Parti québécois. Les Québécoises ont toujours joué un rôle particulier dans l'histoire. En janvier 1759, quatre cents femmes se sont révoltées contre l'intendant qui rationnait la population pour spéculer sur le blé[158].

Ce que l'on appelle le modèle québécois est intéressant en ce qu'il s'oppose parfois au « reste du Canada » dans ses réformes. Le Québec choisit des solutions plus douces, plus avant-gardistes, plus cohérentes avec un projet de société qui s'est élaboré à partir de la Révolution tranquille des années 1960. Mais à la différence des modèles nordiques, le Québec a conservé les alternatives « libérales » dans plusieurs de ses grandes réformes. On lui reproche ainsi de ne pas avoir assez investi dans le système public d'éducation et de garderies, ou dans les transports, laissant à l'entreprise privée un trop grand pouvoir sur les enjeux communs tout en dispersant des ressources humaines et financières limitées.

En 2003, le taux de faible revenu, qui mesure la pauvreté, était de 9,5 % pour les familles biparentales, alors qu'il grimpait à 40,9 % pour les familles monoparentales et à 46,9 % pour les familles monoparentales dirigées par une femme.

Selon un rapport de l'Institut de la statistique du Québec, en 1996, pour chaque dollar empoché par un homme, la femme recevait 60 centimes, et 66 centimes en 2005. Cette dernière année, le revenu moyen des femmes était de 24 000 $ et celui des hommes, de 37 000 $. Le rapport précise que c'est en 1988 que les femmes sont devenues majoritaires dans les universités, mais 15 ans plus tard au niveau de la maîtrise et seulement récemment au doctorat[159]. Un argument pour les partisans de la lenteur de l'évolution. En réalité, ces chiffres n'expliquent pas les inégalités : les chefs d'entreprises ne sont pas tous docteurs et les diplômées majoritaires de 1988 ont aujourd'hui plus de 40 ans :

---

158. O' Leary, Véronique et Louise Toupin, *Québécoises deboutte!* coll. De mémoire de femmes, Montréal, Éditions du Remue-ménage, 1982.
159. Picher, Claude, *La Presse*, 13 septembre 2008.

elles devraient donc occuper près de la moitié des postes les plus haut placés, ce qui n'est pas le cas. La discrimination n'a même plus d'alibi. C'est ce qui nous permet d'affirmer que les changements peuvent et doivent se produire instantanément.

Ceux qui ne croient pas au progrès et à la véritable participation égalitaire à l'œuvre politique avancent toujours un argument à l'effet que toute libération ne peut se faire immédiatement, que la société ne pourrait en supporter les coûts, mais l'énergie et les ressources englouties par les discriminations sont encore plus colossales. Le progrès social est une lutte de tous les jours, et lorsqu'il s'agit d'aller à l'encontre de tendances barbares, qu'elles soient naturelles chez l'humain ou culturelles, le parti pris égalitaire devient une lutte de chaque seconde.

Avec 42 avortements pour 100 naissances[160], le Québec a un taux plus élevé que les autres provinces. Pour Louise Desmarais, c'est « une réponse des Québécoises à l'inertie des gouvernements qui, successivement, tant à Québec qu'à Ottawa, refusent de mettre en place les conditions socioéconomiques permettant aux femmes et aux couples d'avoir le nombre d'enfants qu'ils et elles désirent, et d'en prendre soin avec humanité[161] ».

C'est aussi une conséquence du manque de services en matière d'éducation sexuelle (impliquant la notion d'égalité entre les sexes), de contraception (information, accès, gratuité) et de planning des naissances, services rejoignant l'ensemble de la population. Néanmoins, ce taux d'avortements est semblable à celui de la Suède et des États-Unis, et équivalent à celui de la France.

Une remarque : on parle souvent de l'avortement comme étant la conséquence d'une situation quelconque (pauvreté, jeune âge), ce qu'il est en partie. L'avortement, pourtant, n'est que la liberté, pour une femme, de refuser, sans être soumise à l'avis d'une autre personne, de poursuivre une grossesse. À cet égard, Louise Desmarais souligne qu'en 1966, quand l'avortement était un crime, les 45 482 « complications d'avortements » illégaux, clandestins, constituait la principale cause

160. *La Presse*, 14 juillet 2007. Ce taux monte à 70 % chez les jeunes filles de 14 à 17 ans. Compilation spéciale de Madeleine Rochon, MSSS, 1996.

161. Desmarais, Louise, « Avortons-nous trop ? », *La Vie en rose*, hors-série, 2005. www.fqpn.qc.ca/contenu/avortement/statistiques.php

d'hospitalisation chez les femmes (comme dans les autres pays), ce qui se compare aux 29 429 avortements de 2003[162].

L'argument économique

C'est la force qui gouverne le monde, et ces petits rectangles de papier bruissant, voilà la forme moderne de la force.
MARCEL PAGNOL

Les économistes ont enfin compris qu'éradiquer la pauvreté en Afrique constituait une opération économiquement rentable. Il était généralement admis que les Africains ne s'en sortiraient jamais et qu'il ne servait à rien de les aider parce qu'ils ne pourraient pas changer. Racisme ? Probablement, puisqu'on n'a jamais fait la même analyse pour la Chine. Au contraire, la mode, c'est de dire qu'il faut délocaliser les entreprises vers la Chine et l'Inde pour permettre le développement de ces pays.

Nous partageons donc l'étonnement du ministre norvégien devant le gaspillage social causé par la discrimination envers les femmes. Il est maintenant admis que le travail des femmes, ce quart-monde qui en est en fait la moitié, et la parité de la rémunération des hommes et des femmes sont des facteurs puissants de développement économique[163].

Pour les auteurs du rapport de Davos, il y a un lien incontestable entre les inégalités et les performances économiques des pays[164]. La chancelière allemande Angela Merkel a dénoncé la sous-représentation des femmes en économie, et fait de leur participation une condition nécessaire pour que l'Europe devienne une économie dynamique[165].

Si, demain matin, les hommes étaient payés 25 % moins cher qu'aujourd'hui, l'économie connaîtrait un recul dangereux, même si, en apparence et pour un temps, une telle mesure pourrait favoriser l'augmentation des exportations... En fait, le ministre norvégien dont il est question avait remarqué que les entreprises qui fonctionnaient le mieux aux États-Unis étaient celles au sein desquelles les femmes

162. *Ibid.*
163. *Le Parisien*, Économie, 30 juin 2008.
164. COLLET, ANNE, « Les disparités entre hommes et femmes dans le monde vues par Davos », *Courrierinternational.com*, 12 novembre 2007. http ://femmes.blogs.courrierinternational.com/tag/femme
165. *Le Parisien*, Économie, 30 juin 2008.

tenaient des postes importants : diversité des méthodes, diversité des analyses, voilà un secret que nous avons mis du temps à découvrir collectivement.

Au XXIe siècle, au pays des contes d'Andersen, certains prétendent que les femmes ont sauvé l'économie : il y a aujourd'hui plus de femmes qui travaillent au Danemark, et de plus en plus d'hommes renoncent au travail pour se consacrer à d'autres tâches, des tâches familiales en particulier.

Nous n'avons pas encore compris grand-chose au système scandinave. Alors que nous prétendons ne pas pouvoir « nous payer » un système social de protection, les Scandinaves le voient comme une exigence économique et sociale. C'est un système économique de type « fordien » : l'État paie le social en faisant travailler tout le monde. Depuis que les femmes travaillent, l'État dispose de plus de fonds (impôts et cotisations) pour financer les garderies et les écoles.

Nous sommes incapables de sortir de ce système oppressif dans lequel les femmes sont enfermées, celui qui est décrit par Barbara Ehrenreich[166] et par Marilyn French[167], celui des femmes qui vivent dans une prison dorée, celles qui n'ont pas de fonds de retraite, celles qui commencent à travailler à 45 ans, celles qui interrompent leur carrière et se recroquevillent dans un monde sans choix ni voix...

L'économie, c'est le terrain des grands paradoxes : nous payons mal les personnes qui s'occupent des enfants, alors que nous acceptons de payer des gens qui fabriquent des polluants (sacs de plastique, produits dangereux). Une économie, c'est une question d'équilibre entre l'offre et la demande, mais quelle offre et quelle demande ? C'est à nous de choisir, de nous orienter vers les meilleurs offres et les meilleures demandes pour construire la société que nous voulons, mais nos choix sont anarchiques, jamais concertés. Pour l'instant, nous vivons dans une économie dirigée... par les propositions des entrepreneurs relayés par la publicité[168]. Un monde économique aléatoire, sans véritable lien avec les aspirations communes des citoyens.

---

166. *L'Amérique pauvre,* coll. Fait et cause, Paris, Grasset, 2005.
167. *Ibid.*
168. Kenneth Galbraith, John, *Les mensonges de l'économie*, Paris, Grasset, 2004.

Éducation et famille

Puisque que l'économie ne peut être la loi, c'est le droit qui doit déterminer notre manière de vivre. Il faut revenir à la question essentielle, toujours la même, celle qui exaspère, celle qui contient aussi sa réponse : doit-on changer la famille, laisser les femmes travailler, envoyer les enfants dans des garderies plutôt que de les élever à la maison ? En d'autres termes, les ambitions des femmes sont-elles légitimes ?

Bien des femmes pensent que confier leur jeune enfant à une institution constitue un abandon. Elles se sentent coupables, et peuvent être jalouses de la relation que leur enfant entretiendra avec ses nouveaux « tuteurs ».

Sommes-nous cohérents ? Le travail domestique des femmes à la maison n'est pas pris en compte fiscalement. Chacun connaît le dilemme de la femme qui veut travailler plutôt que de rester au foyer : ses revenus vont être imposés et elle devra payer pour faire accomplir par quelqu'un d'autre une grande partie du travail qu'elle faisait avant qu'elle n'occupe un emploi, ce qui réduira considérablement son revenu réel. Lorsque la femme effectue les tâches ménagères, elle exécute pour le couple du travail qui ne sera pas imposé et permettra au conjoint de bénéficier d'une déduction fiscale supplémentaire pour personne à charge. Ainsi, pour un revenu familial identique, un couple dont la femme n'occupe pas d'emploi rémunéré aura un niveau de vie supérieur à celui d'un couple où les deux travaillent. Et c'est ainsi que les États s'embourbent dans des calculs à la Prévert, distribuant çà et là des déductions au terme de la remise de déclarations d'impôt compliquées.

En même temps, l'État, par le biais d'autres mesures, incite les femmes à travailler. Les deux modèles subsistent donc au sein de la même société : le projet social est plus flou.

Les résultats obtenus dans les pays du Nord sont édifiants. Pendant que les mères vivent comme des citoyennes à part entière, les enfants en contact avec d'autres enfants dès le plus jeune âge sont mieux préparés pour l'école. Les enfants de familles défavorisées bénéficient aussi de cette éducation précoce, et les réseaux sociaux peuvent prendre en charge le rattrapage ou l'assistance aux parents. Dans certains cas, un service de garde à domicile subventionné peut être accordé.

Les garderies peuvent et doivent favoriser la liberté des femmes. Au Québec, elles ont effectivement permis de faire diminuer la pauvreté des enfants (seule province au Canada où une baisse est enregistrée), mais il s'agit en même temps d'une privatisation de la pauvreté en ce sens que les mères défavorisées gagnent, en travaillant, un peu plus qu'avec l'aide sociale, mais à peine plus. Cela ne leur donne pas accès au savoir, au progrès, à un véritable épanouissement personnel : la société ne leur apporte rien d'autre qu'un supplément de revenu par rapport à l'aide sociale, et leur apport à la société se résume souvent à des tâches bien au-dessous de leurs capacités.

Bien évidemment, les mieux nanties peuvent profiter des garderies comme d'un levier pour asseoir une carrière et accéder à une véritable liberté. Cela est précieux, mais notre propos ici est de cerner les politiques qui permettent à l'ensemble des femmes de vivre dans une société égalitaire. Cette prétention implique à notre avis des efforts particuliers pour éradiquer la pauvreté. Ne serait-ce que pour passer d'une société d'assistanat à une société solidaire et efficace. C'est en quelque sorte le principe même de l'assurance.

Tout comme l'école obligatoire, les garderies n'ont pas supprimé les inégalités parce qu'elles ne sont pas incluses dans un système citoyen, démocratique, où femmes et hommes participent et décident. Pour l'instant, elles ne sont qu'un accommodement, de par leur trop petit nombre et leurs horaires contraignants. À cause de l'absence de coordination, obtenir une place en garderie pour son enfant reste un exercice difficile pour les familles.

Il reste que, dans la plupart des sociétés occidentales, les réformes ne convergent pas. Si les sociétés scandinaves ont autant progressé, c'est parce qu'elle sont basées sur un consensus, une obsession, réellement mis en pratique grâce au travail de tous : individus, État, associations, syndicats. À travers les grandes crises traversées en Suède et en Finlande (qui a perdu en 1991 son principal client, l'URSS, du jour au lendemain), c'est tout le système démocratique qui s'est réformé, cette fameuse refonte des institutions qui a délocalisé le pouvoir vers la population, vers les municipalités, et allégé un appareil d'État devenu très efficace dans la réalisation des choix sociaux.

AVOIR UN ENFANT : DÉCISION PERSONNELLE ?
Arguments souvent entendus : « Ce n'est pas à la société de prendre en charge les enfants. Avoir un enfant est une décision personnelle. Une femme qui veut des enfants doit les élever à la maison et travailler à temps partiel. »
Si l'on poursuit ce raisonnement, les employeurs ont raison de ne pas engager de femmes. Même celles qui ne veulent pas d'enfants, auxquelles nous avons fait allusion, ne pourraient pas trouver d'emploi à égalité avec les hommes. C'est tout l'édifice de l'égalité qui s'effondrerait ainsi. Mais il ne faut pas confondre le droit de tout parent, homme ou femme, d'élever ses enfants à la maison et le droit collectif de bénéficier de services de garde et d'écoles de qualité pour permettre à tous, principalement aux femmes, de vivre la vie qu'elles ou ils auront choisie : ce n'est pas l'État qui s'immisce dans la vie des femmes, ce sont elles qui entrent enfin dans la vie citoyenne.

Une nouvelle pensée unique ?

Plusieurs citoyens scandinaves s'émeuvent d'un système qui leur apparaît trop coercitif. La fourchette des salaires, particulièrement étroite, leur semble injuste et contraignante comparée à celle d'autres pays, comme les États-Unis ou la Chine, où elle est pratiquement infinie.

Partout dans le monde, même en Chine, un président de société peut gagner en une année ce qu'une ouvrière gagnerait en 10 000 ans[169]. Le système scandinave est plus juste, et ce ne sont pas seulement les femmes qui l'ont voulu, mais bien la totalité des citoyens. Ces sociétés sont donc plus démocratiques que d'autres parce que plus de femmes ont participé à leur élaboration[170].

L'égalité, la parité, la manière dont les enfants sont éduqués, l'éradication de la pauvreté, tous ces éléments forment un tout dont la logique est fatalement coercitive, comme pourraient être considérées coercitives, en affaires, les lois contre la corruption ou celles qui protègent les travailleurs.

Ce n'est pas tant l'économie particulière du modèle scandinave qui nous intéresse (un revenu *per capita* énorme et des impôts très costauds,

169. Prime non imposable de 170 millions de dollars divisée par 10 000 = 17 000 $.
170. La Finlande est l'un des pays où la fourchette des revenus est la plus étroite.

un tabou économique…), c'est plutôt la révolution dans les rapports humains : des femmes libres, moins de corruption, une population qui participe en grand nombre au projet social, des rapports humains réellement différents. Le projet scandinave est un projet courageux, qui s'engage dans l'inconnu et qui est une ode à l'être humain. Le médium est le message.

À nous d'inventer d'autres modèles holistiques, de nouvelles formes de vie en société, certainement sur la même base. Le président Sarkozy, en disant « qu'il faut tout faire en même temps », semble avoir compris que dès que l'on touche à une domination, à des traditions, c'est toute la société qui doit changer et évoluer en même temps.

L'égalité hommes-femmes, c'est un système, pas des mesures. Personne ne doit rester en arrière. Cela se fait par l'État, par les associations, par tous les moyens, par l'intervention de tous. C'est un projet démocratique parce que c'est le résultat qui est unique, pas le débat ni la pensée.

Bien sûr, lorsque nous évoquons la pensée unique, ce n'est pas à la Finlande que nous pensons, mais plutôt à cette sorte de brume intello-religieuse qui cherche dans la négation de l'être humain une solution à ses problèmes.

D'après le pape Benoît XVI, « on comprend mieux » (aujourd'hui) que « les enfants ne sont plus l'objectif d'un projet humain, mais sont reconnus comme un don authentique[171] ».

Il faut dire qu'en 2008, les autorités catholiques ont travaillé très fort à combattre l'égalité : c'est Monseigneur Vingt-Trois, cardinal archevêque de Paris qui nous informe que « le tout ce n'est pas d'avoir une jupe, c'est d'avoir quelque chose dans la tête[172]. » Un compliment imprudent quand on en porte une soi-même.

Toute la misère du monde ne suffira pas à convaincre ces gens de remettre à plus tard les projets religieux pour faire plutôt confiance au projet humain. Ce que les femmes ont gagné grâce à leur détermination, elles le perdent à cause de l'inertie du pouvoir. Les hommes – au masculin – veulent contrôler la sexualité et la reproduction, mais ils ne veulent pas en être responsables, ni à l'intérieur du foyer, ni à l'extérieur.

---

171. Benoît XVI rappelle le sens profond et l'actualité de Humanae Vitae, Zenit, *Le monde vu de Rome*, 3 octobre 2008, www.zenit.org/article-18967 ?l=french
172. *Face aux chrétiens,* Radio Notre-Dame, 6 novembre 2008.

C'est le grand obstacle à l'égalité parce que ce refus déteint sur toutes les activités humaines, en premier lieu sur la dignité des femmes et sur leur accès égalitaire partout dans la société. C'est la fondation de l'édifice de la discrimination. C'est cette morale qu'il faut faire disparaître.

Petit discours de la méthode

La réalité première de l'oppression des femmes ne réside pas dans le nombre, ni dans l'impossibilité économique de réaliser la totale égalité. Elle se trouve dans tous ces petits mouvements qui concourent à enlever de plus en plus de pouvoir aux citoyens et à contrôler de plus en plus leur vie. Dans nos sociétés démocratiques, les gouvernements confisquent la démocratie en la réduisant à un simple vote périodique au moment même où, enfin, les peuples se sont dotés de moyens de communication, de moyens d'apprentissage et de savoirs qui leur permettraient de prendre eux-mêmes la plupart des décisions et de les mener à terme. Et simultanément, au cours des dernières années, toute dissidence est perçue comme une déviance, voire comme un délit.

C'est dans cette confiscation des décisions les plus intimes que le pouvoir se loge. Le pouvoir de se donner la mort, le pouvoir d'avorter, le pouvoir de refuser, le pouvoir de choisir. Les gouvernants ont la manie de vouloir gérer chaque prérogative individuelle grâce à une formule unique applicable à tous les citoyens. Mais chaque cas est un cas d'espèce, et nous ne pourrons jamais nous priver de l'exercice essentiel de discernement. Le discernement n'est rien d'autre que la création du progrès.

Il n'existe pas vraiment d'obstacle à la création d'une société égalitaire. Nous en avons tous les moyens. Mais, contrairement aux acquis scientifiques, les acquis de la liberté suivent la loi de l'entropie[173] : il faut recommencer avec chaque génération l'apprentissage du respect, de l'égalité, du contrôle de la violence, du développement personnel.

Autrement dit, ce n'est plus tant dans l'acceptation théorique de l'égalité que gît le problème, mais dans son organisation sociale, dans la volonté politique de créer cette organisation. L'organisation, c'est l'institution, c'est le siège du pouvoir.

173. On appelle « entropie » le processus par lequel l'énergie disponible se transforme en énergie non disponible.

Nos sociétés sont bâties sur un équilibre entre la richesse et la pauvreté, il est calculé ainsi. Plus crûment, il faut des producteurs et des ouvriers, des commandants et des exécutants, mais la démonstration n'est pas faite que les rôles ne pourraient pas être redistribués. C'est une bonne raison de choisir l'égalité : l'intelligence et les autres qualités sont parfois absentes chez les premiers et souvent ignorées chez les seconds. C'est du reste là que résident les injustices : de croire que les pauvres ne peuvent pas et que les riches ont la légitimité de pouvoir...

Mais il existe certainement d'autres manières de faire. Ce sont de nouveaux équilibres sociaux qui sont en train d'être inventés. Les États-Unis sont toujours cités comme exemple de ce qui est possible, mais les moyens choisis pour y réaliser l'égalité, la formule américaine, ne permettent pas, aux femmes d'en bas de remonter : le système n'est pas fait pour cela. Dans les pays nordiques, il l'est.

Nous n'aurons jamais pleinement conscience de la nature de la pauvreté. Nous croyons qu'elle est un fait individuel, alors qu'elle en est tout le contraire : c'est un fait social. C'est notre manière de vivre, de gérer, d'éduquer, de travailler, qui est à l'origine de l'exclusion, tout simplement parce que notre organisation ne se soucie pas de faire participer tout le monde.

Si l'on donne aux entreprises des subventions ou des exemptions d'impôt spectaculaires quand elles promettent d'embaucher des salariés, pourquoi ne pourrait-on pas faire la même opération quand l'entreprise promet d'adapter les conditions de travail pour permettre aux femmes, donc aux couples, de s'affranchir des difficultés qui les empêchent de travailler : garderies, horaires de travail, congés, formations ?

On sait que les enfants de familles défavorisées qui sortent de la maternelle n'ont pas encore la capacité d'affronter l'école primaire. Qu'attend-on pour renforcer le système de garderies[174], pour en faire une arme contre les inégalités, contre le sexisme, contre l'ignorance, contre l'analphabétisme, pour le rattrapage ?

La plupart des modèles occidentaux ne sont pas efficaces. Ils sont coûteux parce qu'ils ne peuvent pas se financer par le travail de celles (et même de ceux) qu'ils sont censés libérer. Parce qu'ils sont coûteux,

174. Dans plusieurs pays, à part la Scandinavie, les places en garderie correspondent seulement à 30 % des besoins, et l'on décompte une femme qui garde quelques enfants chez elle pour gagner de l'argent comme une femme au travail.

ils ne sont pas améliorés et les budgets fondent parce qu'ils appartiennent à des citoyens sans voix. À la fin de l'expérience, le constat se résume à celui que l'on a déjà fait pour l'école : la garderie devient elle aussi une productrice d'inégalités sociales.

Les gouvernements accordent moins d'importance aux femmes qu'aux hommes. La docteure Diane Francœur, présidente de l'Association des obstétriciens gynécologues du Québec, réclame plus d'infirmières grâce auxquelles elle pourrait traiter plus de patientes, mais malgré tous ses efforts, malgré le fait que les femmes consultent plus que les hommes, ces ressources se font attendre : le pouvoir ne s'intéresse pas à des problèmes qualifiés de « féminins »[175].

Pourquoi, alors que le manque d'infirmières est flagrant, augmenter leur charge de travail en leur donnant, par exemple, le « privilège » d'administrer certains médicaments ou de faire certains diagnostics ? N'est-ce pas un moyen de payer moins cher des actes qui étaient mieux rémunérés auparavant, lorsqu'ils étaient accomplis par les médecins ?

Ces questions se posent parce que, dans les faits, l'égalité et la parité ne se font pas. Il n'y a pas que le plafond de verre, il y a, pour arriver à ce plafond, une échelle dont les barreaux sont plus nombreux et plus glissants que ceux de l'échelle des hommes. Parfois, la féminisation du travail relève du burlesque : lorsque les premières femmes sont entrées dans la police, l'administration d'une ville avait prévu qu'elles portent leur revolver... dans leur sac à main !

Discrimination positive

Le fait de ne pas retrouver dans de grandes entreprises, dans la fonction publique, la même diversité que dans la population laisse présager qu'une discrimination est exercée par ces entreprises, par cette fonction publique. La discrimination positive est une réponse à ce délit collectif. C'est ce genre de réponse que les Norvégiens ont donné récemment aux entreprises en les obligeant à constituer des conseils d'administration paritaires. L'Espagne de Zapatero a adopté une loi semblable en 2007, loi qui oblige également à une quasi parité sur les listes électorales (40 % de femmes). Selon Nilofar Bakhtiar, conseillère du Premier ministre du Pakistan, un quota électoral de 17 % pour les

175. *Le Devoir*, 8-9 décembre 2007.

femmes à l'Assemblée nationale a permis à 22 % d'entre elles d'acquérir des sièges[176]. Les femmes n'ont donc pas été imposées par ce quota (inférieur au pourcentage final), mais l'imposition du quota a donné aux femmes un droit d'entrée et une plus grande liberté de vote aux électeurs.

Sur le plan du droit, les quotas sont parfaitement valables, et les peurs que laissent planer les cours suprêmes ou le Conseil constitutionnel français sur la légitimité de ce concept ne sont que l'expression d'un pouvoir qui s'accroche[177]. D'ailleurs, l'Angleterre, qui interdit spécifiquement la discrimination positive depuis une loi de 1976, l'autorise tout de même pour des raisons ethniques ou religieuses ! C'est très tendance.

DE TRÈS PETITS PAS POUR L'HUMANITÉ

Le 27 mai 2008, à la demande de deux députés, Marie-Jo Zimmermann et Claude Greff, un amendement à la Constitution française a été voté pour y faire figurer la parité au niveau professionnel. Le Conseil constitutionnel[178] avait rejeté la possibilité d'une telle loi, semblable à la loi norvégienne, instituant une obligation de parité aux C.A. Contre l'avis du gouvernement, l'Assemblée nationale a adopté cet amendement prévoyant « l'égal accès des femmes et des hommes aux responsabilités professionnelles et sociales ». Il vise à contourner la censure, le 16 mars 2006, par le Conseil constitutionnel de dispositions relatives à l'accès des femmes aux conseils d'administration des entreprises. La loi constitutionnelle du 8 juillet 1999 sur la parité ne portait en effet que sur l'égal accès des femmes et des hommes aux mandats politiques. « Plus on leur en donne... ! »

---

176. « Manque de ressources financières et humaines, poids des traditions identifiées comme obstacle à la parité homme/femme », ONU, Commission de la condition de la femme, 4 mars 2003. www.unhchr.ch/huricane/huricane.nsf/0/2AF31A4CE8297AABC1256CE0002F24E7?opendocument
177. La Constitution canadienne prévoit expressément la discrimination positive en son article 15 sur les programmes de promotion.
178. Malgré un principe énoncé par ce même Conseil, « le principe d'égalité ne s'oppose ni à ce que le législateur règle de façon différente des situations différentes, ni à ce qu'il déroge à l'égalité pour des raisons d'intérêt général, pourvu que, dans l'un et l'autre cas, la différence de traitement qui en résulte soit en rapport avec l'objet de la loi qui l'établit ».

En pratique, ces institutions juridiques devraient reconnaître ce déficit égalitaire comme une preuve *prima facie*. Dans plusieurs domaines juridiques, un tel raisonnement existe. Ainsi, la notion de « garantie légale » reconnaît implicitement qu'un objet doit servir durant un certain temps à l'usage auquel il est destiné, sans qu'il soit nécessaire de faire la preuve d'un défaut devant le tribunal.

La France pratique d'ailleurs certaines formes de discrimination positive (et, hélas, beaucoup de discrimination négative) en exigeant des entreprises qu'elles embauchent des handicapés. Mais dès qu'il s'agit des femmes, les hautes cours se lancent dans des raisonnements proprement boiteux dont le seul but est de parvenir à un refus. En général, rappelons-le, un état de fait qui demande l'exercice d'une discrimination positive est toujours la conséquence de discriminations antérieures. En ce sens, elle n'est pas offensante pour les femmes, mais réparatrice. L'idéal serait de reconnaître et supprimer toute discrimination.

Les États-Unis ont mis sur pied des programmes d'« *affirmative action* », destinés à combattre la discrimination, estimant sans doute que la discrimination est plus dangereuse que le *statu quo*. Ils en ont déjà fait l'expérience.

La Suède autorise un patron à user de discrimination selon le sexe lorsqu'il s'agit de rééquilibrer le rapport hommes-femmes dans un métier quelconque.

La discrimination, ce n'est pas un constat mort qui arrive le jour du comptage, c'est un constat dynamique, c'est au jour le jour qu'elle se produit. Dans une entreprise publique ou privée, dans la musique, dans l'art, les déficits que l'on constate sont volontaires, organisés, pensés, mis en œuvre un par un. Cela signifie que lorsqu'une femme veut exercer un droit, obtenir un emploi à son niveau, elle fait toujours l'objet d'une injustice. Quand on dit que les femmes sont payées 20 % à 30 % de moins que les hommes, ce ne sont pas 20 % des femmes qui sont discriminées, mais toutes ! Ce sont les institutions qui, par leurs critères, leur perception de la réalité, leur jugement, créent la discrimination en choisissant un homme plutôt qu'une femme à chaque occasion d'embauche ou de promotion.

Ce système est universel et bien établi depuis la naissance des organisations humaines. Tout y converge : les heures de travail, la cooptation, la manière d'exécuter le travail, les outils, les objectifs mêmes... Ces schémas se retrouvent partout, même dans les syndicats[179]. Les rares instances mises à la disposition des citoyens pour contrer les discriminations sont évidemment inefficaces. En premier lieu, peu de victimes se plaignent. Il faudrait qu'elles dressent des listes impressionnantes de toutes les brimades qui ont conduit à leur exclusion. Pensons à une personne de race noire qui subirait un contrôle d'identité le matin, se ferait bousculer dans le métro, se verrait rejeté d'un emploi, d'un logement, d'un bar... C'est le lot de beaucoup d'entre eux, et les structures administratives ne pourraient prendre en compte toutes les plaintes. Être une femme, c'est comme être Noir. La discrimination ne survient pas occasionnellement. Elle se produit tous les jours, tout le temps, elle est obsédante : c'est une bataille continuelle. La plupart des femmes acceptent cet état de choses comme faisant partie de la vie, même si elles l'analysent parfaitement.

ÉGALITÉ, OUI, MAIS...

Toutes les discriminations se justifient par un discours bancal. Un policier gradé de Montréal disait qu'il serait important que chaque patrouille comprenne au moins un homme. Voulait-il dire que les critères d'embauche sous-estimaient les qualités requises pour devenir policier et qu'ils avaient été établis « sur mesure pour les femmes » ? Pourtant, il serait facile de trouver des femmes plus fortes que celles auxquelles il faisait allusion, et la vérité est plutôt que l'on a préféré d'autres critères de sélection qu'une grande force physique... critères applicables également aux femmes et aux hommes, d'ailleurs. Voilà comment, aujourd'hui, on tente de justifier la discrimination.

Pour mettre sur pied un processus rapide de participation égalitaire dans les institutions, la discrimination positive constitue une bonne amorce. L'idée même de discrimination positive est provisoire : on parle plutôt de rattrapage, on vise une absence de discrimination, pas une société d'affrontement des genres.

---

179. Le Quentrec, Yannick et Annie Rieu, *Femmes : Engagements publics et vie privée*, Paris, Éditions Syllepse, 2003.

C'est aussi la conclusion à laquelle sont arrivés Yannick Le Quentrec et Annie Rieu[180] dans une étude remarquable sur l'impact de la présence des femmes dans la sphère publique.

Les auteurs démontrent que cet activisme, même s'il s'ajoute aux autres charges dont les femmes ne peuvent se débarrasser (enfants, tâches domestiques…), parvient, à la longue il est vrai, à transformer en profondeur le domaine dans lequel il s'applique, et à redéfinir les rapports entre les hommes et les femmes, ainsi que le rapport de tous le citoyens avec la politique.

La simple admission des femmes dans un milieu habituellement réservé aux hommes permet à ces derniers de changer leurs habitudes de vie. Elle a des répercussions sur le partage des tâches, sur l'apprentissage de nouveaux comportements, sur la manière de travailler et d'intervenir dans le domaine. Parce qu'elle force le changement, elle permet de constater qu'il n'existe pas qu'une seule manière de faire les choses.

Le problème n'est plus de trouver des femmes, mais d'éviter de les éliminer ou de les confiner dans des emplois subalternes mal payés. Le cas le plus cité est celui des garderies et des crèches. Elles constituent un excellent moyen de faire participer la société entière aux tâches familiales, mais, comme nous l'avons vu, dans la mesure où ce sont des femmes mal payées qui s'occupent de ces garderies, nous devons nous demander si nous n'avons pas tout simplement étatisé la garde des jeunes enfants sans y injecter un réel apport à la réalisation de l'égalité.

En parlant du modèle suédois et d'une critique d'un journaliste de *Newsweek*, Dominique Méda et Hélène Périvier notent que « les femmes y travaillent moins et y gagnent moins que les hommes parce qu'elles ne font qu'accomplir dans la sphère publique les tâches qu'elles accomplissaient autrefois à la maison[181] ».

Cette prise en charge n'a que peu à voir dans l'établissement de l'égalité si elle n'est pas accompagnée de mesures spécifiques en faveur des femmes et d'un véritable accès aux postes de responsabilité.

Quant à l'argument de l'incompétence de celles qui feraient l'objet de discrimination positive, il est proprement insultant. D'où vient cette présomption qu'une femme est incompétente lorsqu'elle a été préférée

180. *Ibid.*

181. Méda, Dominique et Hélène Périvier, *Le deuxième âge de l'émancipation*, Paris, Seuil, 2007, p. 56.

à un homme dans le cadre d'une politique de rattrapage ? Quand a-t-on entendu dire d'un homme fraîchement nommé que c'est un incapable qui a obtenu son poste seulement parce qu'un de ses copains l'a placé là ? C'est pourtant souvent le cas : c'est même la définition de la discrimination.

Le travail des femmes

Toute femme ayant le choix entre un emploi à l'extérieur et le ménage est folle à lier si elle ne se jette pas sur l'emploi.
GROUCHO MARX

Le travail des femmes a toujours été l'élément déterminant de leur libération, de leur double libération devrait-on dire : celle de l'affirmation de leur compétence et celle du partage de la responsabilité de la reproduction.

Elles n'avaient aucune reconnaissance sociale ou économique lorsqu'elles élevaient les enfants, elles étaient en marge de la société, de la grande réalité. Le travail, ce n'est pas seulement la possibilité de se procurer de l'argent, mais c'est la grande façon de faire partie de la société, d'y changer les lois, de participer à un projet commun. Si nous oublions parfois pourquoi et à quoi nous travaillons, les femmes l'ont en général bien en tête. Selon une opinion très répandue parmi les hommes et les femmes, ces dernières sont plus attachées à l'efficacité, au résultat, alors que les hommes comptent en termes de compétition.

L'accès au marché du travail n'est pas l'égalité. On se moquerait volontiers de l'absence des femmes dans le ramassage des ordures ou en informatique si, en réalité, cette absence n'était pas l'effet d'une discrimination.

Les femmes et les hommes qui préfèrent rester à la maison en ont le droit. Espérons que, désormais, ce sera un choix basé sur des considérations autres que la discrimination, la contrainte, l'empêchement, la pauvreté ou une trop faible éducation. L'égalité est indissociable de la liberté.

En Suède, les femmes occupent principalement trois types d'emplois (l'enseignement, les soins dans le secteur public...), contre sept en France (avec une concentration dans les petits emplois de bureau), les longs congés pris plus souvent par les mères et le choix du temps partiel « justifiant » cette ségrégation. Or, les congés donnés aux parents à la naissance d'un enfant ne sont pas là pour régler un problème féminin, mais pour organiser la participation de chacun au renouvellement de l'espèce. Ce n'est pas la même chose.

Cet état de fait montre bien que tous les aspects de la libération sont importants. La fonction publique respecte de plus en plus les principes égalitaires mis en place par les gouvernements, mais l'absence de telles contraintes dans la sphère privée a tendance à concentrer les femmes dans le secteur public. C'est une belle illustration de la nécessité de l'intervention de l'État à l'exemple de l'obligation de parité dans les administrations des entreprises en Norvège.

La question qui se pose ici : est-ce que l'égalité sera faite lorsque les femmes occuperont tous les types d'emplois sur une base égalitaire ?

Dans nos sociétés, ce sont toujours des hommes qui commandent l'accès au pouvoir. La sélection est précisément discriminatoire, et ce n'est pas une quelconque majorité de filles dans une école d'ingénieurs qui va y changer quelque chose. Ce n'est pas une question de chiffres, c'est une question de pouvoir, une question de démocratie. Or, les femmes pourraient fort bien ne pas vouloir faire le siège du pouvoir, occuper tous les postes, partout et toujours, tout en conservant voix au chapitre. Nous croyons que dans une société égalitaire, la démocratie sera réellement « partagée » et ne sera plus le fait de quelques « chefs de tribus » économiques et politiques.

L'égalité ne se fera pas seulement par l'accès au travail. Les réseaux de pouvoir parallèles, le mythe de « l'égalité des chances au point de départ » nous font croire que l'égalité ne peut être réalisée dans le cadre du monde libéral dans lequel nous vivons. Nous croyons plutôt que l'égalité doit être un parti pris constant, éternel, parce que les inégalités se reconstruisent au quotidien, comme le racisme et autres mauvaises idées.

Faire disparaître les inégalités n'est certes pas niveler. Mais les inégalités ne se produisent pas qu'à la naissance : elles sont en quelque sorte le résultat de l'inadaptation de personnes à un type particulier d'institution, de mode de vie. Un être inadapté à une situation peut se trouver privilégié dans une autre. Combattre les inégalités et l'exclusion, c'est donc permettre une diversité de modes de vie, une diversité d'institutions, une multitude de possibilités, une multitude d'accès.

Il faut être diablement naïf, comme Alain Minc, pour croire qu'une fois la ligne de départ accessible à toutes et à tous, le reste du parcours se fera sans que le naturel humain ne revienne au galop[182].

INFIRMIÈRE, HÔTESSE DE L'AIR...

Quand toutes les femmes devenaient infirmières ou institutrices, ce n'était pas parce qu'elles ne pouvaient rien faire d'autre, mais parce que les canaux pour exercer d'autres professions n'existaient pas... Une société humaine, c'est un peu comme une famille : quand tous travaillent en vue d'un objectif commun, les résultats sont fantastiques, comme durant les trente glorieuses en Europe. Les heures de travail étaient longues, et tous allaient dans le même sens. L'effort portait surtout sur la reconstruction, le but était clair.

Un exemple : à l'heure où l'on croit devoir refaire l'histoire de Cuba, il conviendrait d'analyser cette dramatique utopie pour comprendre comment l'effort de tout un peuple peut venir à bout de conditions coloniales parmi les plus épouvantables de notre histoire. On peut juger Cuba aujourd'hui, mais le peuple cubain s'est mieux sorti que quiconque d'une époque coloniale qui a pratiquement duré jusqu'à l'arrivée de Castro, pour survivre ensuite à un blocus commercial dévastateur.

En France, 80 % des créatrices d'entreprises ont des enfants. Trente-sept pour cent des entreprises sont créées par des femmes en 2007, contre 29,8 % en 2002. Les entreprises qu'elles créent ont une vie plus longue. Mais seulement 10,2 % de femmes figurent aux conseils d'administration des entreprises du CAC 40[183].

Le taux d'emploi des femmes, en France, tombe à 60 % dès l'arrivée du deuxième enfant, puis à 35 % à la naissance du troisième. Chez les hommes, il demeure stable à 90 %[184].

---

182. Minc, Alain, *La machine égalitaire*, Paris, Livre de poche, 1987.
183. Fugain, Michel, « Les conseils d'administration des sociétés du CAC 40 se féminisent », *Journal des finances*, n° 6293, 27 juin 2008. www.capitalcom.fr/photos/equipe/PDFPRESSE_000158_736__BIG.pdf
184. Remy, Jacqueline, « Liberté, égalité, fraternité : les femmes en France », *euro/topics*, 2008, www.eurotopics.net/fr/magazin/gesellschaft-verteilerseite/frauen-2008-3/remy_frankreich_frauen/

La question que nous posons dans ce livre va au-delà du travail des femmes : c'est celle d'une égalité démocratique, d'une égalité dans les choix de société, d'une affirmation féminine au moins aussi intense que l'affirmation masculine. La fin du « refus de la femme » auquel le professeur Karl Stern faisait allusion.

La révolution des femmes ou la rénovation démocratique

La globalisation et l'écologie nous montrent qu'il nous sera impossible d'échapper à la fin de la vie sur terre sans prendre en compte la totalité du phénomène de vie. Dans notre langage d'espèce animale supérieure, cela implique que des décisions devront être prises par l'ensemble de l'espèce humaine, non pas des décisions imposées, mais des décisions conscientes, individuelles et communes, des décisions collectives acceptables individuellement. Le problème démographique est une illustration particulièrement frappante de cette nécessité. Çà et là, quelques politiques opposent l'immigration et la natalité de souche. Comme s'il était aujourd'hui possible de faire croître une population dans une région du globe sans tenir compte de la croissance ou de la décroissance des autres populations...

À l'époque de la mondialisation, les combats pour l'égalité des femmes et des hommes, l'écologie, l'arrêt de la violence nous apparaissent comme un seul et même projet. Il n'est pas imaginable de concevoir une société égalitaire qui continuerait à surproduire, à conquérir, à voler les terres de ses partenaires, qui souillerait la sienne. L'égalité n'est pas un produit qui peut être consommé localement, c'est un concept, une idée de société, un engagement planétaire. Comment pourrait-il en être autrement ? Peut-on imaginer une société égalitaire dans laquelle des individus ou des groupes en brimeraient d'autres ?

Si nous sommes encore loin de la réalisation de tels rêves, ils représentent la principale motivation de la plupart des peuples.

Comment effectuer des progrès significatifs sans une révolution dans l'exercice du pouvoir et dans tous les lieux de pouvoir ? L'égalité entre les hommes et les femmes est au centre de la démocratie. Jusqu'à maintenant, les institutions masculines ne pratiquent et ne cherchent qu'une seule manière de faire les choses. Elles ne croient pas, fondamentalement, que d'autres réalités peuvent coexister avec la leur.

La notion d'égalité, comme la notion de démocratie d'ailleurs, fait disparaître, dans une certaine mesure, celle de hiérarchie parce que l'accès à l'égalité a justement été une négation de la hiérarchie des êtres. En 2008, ce sont les femmes qui sont considérées comme « supérieures ». Plus résistantes selon les scientifiques, plus performantes selon les économistes, elles sont plus diplômées que les hommes.

Après l'attentat qui a détruit les tours du World Trade Center de New York, les Américains ont naturellement calculé les indemnités à verser aux familles en fonction des revenus des victimes. Nous employons au Québec le même système pour indemniser les victimes d'accidents de la route. En Europe, par contre, les réactions ont été vives : la valeur d'une personne ne peut se mesurer à son revenu. Voilà deux systèmes de valeurs qui se défendent bien, semble-t-il, quand on les replace dans leur contexte, mais qui ont des effets opposés dans la société.

C'est un peu pareil pour la situation des femmes. L'analyse qu'en font beaucoup d'hommes est que leur manière de concevoir la vie n'est pas la bonne et que leur rôle devrait plutôt se limiter à celui que l'histoire semble leur avoir donné.

Ne nous leurrons pas : trop peu de citoyens croient que l'expression d'une différence dans tous les aspects de la vie (professionnel, sexuel, politique, social) constitue un enrichissement nécessaire. Nous disions que c'est parce que nous sommes différents que nous devons être égaux ; ajoutons que l'égalité va enfin nous permettre d'être différents dans la paix.

La peur de la différence est un obstacle à l'égalité, même en Scandinavie. Dans ce domaine, la guerre n'est pas finie. La solution est de casser les structures sociales actuelles pour en créer de nouvelles, pour libérer des canaux d'expression. L'enseignement a un rôle déterminant à jouer à cet égard.

Cinquième partie : La réorganisation des sociétés

La seule conclusion tirée des milliers d'études menées sur la puériculture est qu'il est bénéfique d'être chéri et choyé dans son enfance. Cette conclusion ne devrait surprendre personne puisqu'elle est conforme à l'expérience universelle.

SIR AUBREY LEWIS

Reconstruire les rapports

L'absence de programmes d'humanisation fondés sur une science et un art du développement humain fait en sorte que l'éducation est actuellement sans véritable fondement.
GASTON MARCOTTE, professeur

Alors que plusieurs sociétés sont menacées de devoir reconsidérer leurs propres principes constitutionnels (l'avortement, par exemple[185]) en fonction d'une certaine morale religieuse partagée entre les religions les plus représentées, les sociétés nordiques continuent le débat sur la réorganisation en fonction des objectifs déjà fixés : égalité en premier lieu.

L'une des grandes tendances, si ce n'est pas l'évolution normale du développement humain, est le détachement des femmes de l'environnement structurel auquel elles ont toujours été rattachées, soumises.

Le premier détachement, grâce aux libertés récemment acquises et à la disparition de la morale religieuse, c'est cet abandon quasi universel du couple. Qu'il s'agisse de cette « mode » récente qui consiste à remettre à plus tard la vie en couple et la constitution d'une famille, ou de la réalité plus ancienne du retrait en famille monoparentale, les femmes recherchent de nouvelles manières de vivre, plus précisément de vivre en partenariat avec une autre personne. Nous voyons dans cette nouvelle réalité la confirmation des intuitions des pays nordiques où les êtres humains sont au centre du projet social, d'abord en tant qu'individus instruits et libres, puis en tant que citoyens actifs, ainsi que nous l'avons déjà souligné[186].

---

185. DAGUERRE, ANNE, « Menaces sur le droit à l'avortement », *Le Monde diplomatique*, nº 647, février 2008.
186. DAUNE-RICHARD, ANNE-MARIE et ANITA NYBERG, « Entre travail et famille : à propos du modèle suédois », *Revue française des affaires sociales*, nº 4, 2003, www.sante.gouv.fr/drees/rfas/rfas200304/200304-art17.pdf

Même si ce sont les femmes qui demandent à se séparer (huit fois sur dix en France), la raison en est souvent l'irresponsabilité des hommes ; des femmes parlent de lâcheté.

Pour le sociologue Jean-Claude Kaufmann, après un certain temps, elles ne se sentent plus considérées comme des personnes, mais « comme un rouage de la famille ».

Les enfants de couples séparés qui parviennent à faire des études sont plus rares que ceux qui vivent avec leurs deux parents, et il est connu que le niveau de vie des ex-conjoints se détériore après la rupture, particulièrement celui des femmes et donc des enfants. Les rapports avec les enfants changent aussi. Pourquoi ?

Pendant que les couples vivent ensemble, ce n'est guère mieux : le divorce marque la fin d'une relation impossible. Les jeunes femmes savent ce qui les attend, en ont entendu parler et craignent de se retrouver seules avec leurs enfants. C'est l'un des thèmes de discussion les plus fréquents entre filles.

Les hommes sont peut-être moins responsables parce qu'ils ne portent pas les enfants. Mais dans un projet de société, la notion de responsabilité est essentielle. Il y a 50 ans, l'homme qui faisait un enfant à une femme devait se marier avec elle et prendre l'enfant à sa charge. C'était une question d'honneur. Aujourd'hui, plus personne ne parle d'honneur, mais beaucoup de couples se séparent dès les premières années de la vie du premier enfant, avec certainement des conséquences du même genre que celles que l'on redoutait autrefois.

Là aussi, les femmes sont intervenues pour réclamer des mesures légales plus justes, et nombre de divorces se règlent maintenant par médiation. Les couples réussissent mieux leur divorce que leur mariage.

La thérapeute et philosophe Paule Salomon affirme sa confiance dans le cerveau humain et évoque l'émergence d'un couple androgyne dont nous connaissons d'ailleurs les manifestations chez les jeunes femmes : ce couple « d'associés » dans lequel les femmes ne subissent plus de dépendance économique tout en souhaitant partager leur vie sur une base égalitaire[187]. Il faut voir dans le développement fulgurant des relations par Internet un outil « spontané » – quoique un peu

187. Salomon, Paule, « Le nouveau couple est androgyne », *Nouvelles clés*, n° 58, été 2008.

grossier – permettant d'expérimenter ce fabuleux partage des goûts de vivre, en attendant que le développement personnel soit enseigné... dans les crèches.

Plusieurs chercheurs sont tout à fait enthousiastes quant à l'avenir ; ils parlent d'un « âge androgyne » et même d'une nouvelle espèce, « l'homo androgynus », qui s'est extirpée de sa nature primitive pour développer une intelligence écologique que nous portons tous en nous-mêmes... tout en reconnaissant que, pour l'instant, ce sont les femmes qui sont porteuses de changement, génératrices du nouveau modèle, parce que les hommes sont empêtrés dans l'abandon de leurs vieux habits. Leur société est en train de fondre.

Il est tout à fait possible de vivre dans une société libre, libertaire même, tout en contraignant fortement les citoyens à certaines activités. La liberté ne se trouve pas dans le droit de faire n'importe quoi, mais surtout dans le droit de penser une société meilleure.

Ce droit de penser est devenu un devoir citoyen et une pratique qui se généralise. Plusieurs philosophes l'expriment simultanément, en particulier Luc Ferry : « Nous traduisons tous les grands concepts de la religion chrétienne dans les catégories de la laïcité[188] » et Jean-Claude Carrière : « Je regrette que les religions aient accaparé les termes spirituel et spiritualité[189]. » André Comte-Sponville, quant à lui, parle de spiritualité laïque. Beaucoup d'autres sont engagés dans cette mouvance de l'intelligence de notre milieu et de nos relations.

Nous y sommes : l'application des principes de la révolution a conduit les citoyens à faire descendre le paradis sur terre. Pour l'instant, c'est encore souvent l'enfer quelque part dans le monde. Malgré cela, le transfert de nos « valeurs » des religions vers un quotidien pensé par les citoyens est un phénomène qui appelle l'optimisme. Il y a quelques siècles, les enfants n'avaient pas l'importance qu'ils ont aujourd'hui. Ils étaient considérés comme de la main-d'œuvre, comme une conséquence de la copulation encouragée par les religions. Aujourd'hui, ils sont la raison de notre raison.

En fait, nous n'avons pas besoin d'avoir des enfants pour adhérer à ces valeurs issues des grands courants révolutionnaires (France,

---

188. « 20 ans d'entretiens visionnaires pour donner du sens à sa vie », *Nouvelles Clés*, n°58, juillet-août 2008.
189. *Ibid.*

États-Unis, pays nordiques, Russie). Nous les confrontons pour la première fois à notre animalité si exacerbée, à notre caractère de premier prédateur incurable, au moment même où nous avons le pouvoir de faire sauter la planète.

Il n'existe pas de solution globale, que des pistes, et le débat doit se faire avec tout le monde. Il faut faire table rase de nos traditions et imaginer de nouveaux types de relations : c'est possible. L'impossible, c'est de continuer sans rien changer.

LA CLAUSE DE L'EUROPÉENNE LA PLUS FAVORISÉE[190]

Une proposition-choc pour l'Europe : la clause de l'Européenne la plus favorisée, copie de la « clause de la nation la plus favorisée » qui constitue l'article premier du GATT (« accord général sur les tarifs douaniers et le commerce »), aujourd'hui incorporé à l'OMC (Organisation mondiale du commerce), et qui consiste à accorder aux femmes, dans un pays donné, des droits identiques à ceux qui leur sont accordés dans les pays les plus évolués.

Cette proposition est d'autant plus intéressante que l'Europe est un espace de libre circulation. Il deviendrait alors impossible qu'une même personne puisse être traitée différemment – entendons discriminée – selon le pays dans lequel elle se trouve. Voilà encore une démonstration du lien très étroit qui unit la cause des femmes à celle de la démocratie et de la liberté des peuples.

Le second détachement des femmes sera à l'égard de leur rôle de génitrices. Au moment où les États s'interrogent sur la population, les femmes reconsidèrent l'ensemble de leur rôle dans la société : redéfinition du couple, de l'engagement, de la sexualité, de la liberté de la conception et de la charge des enfants.

La principale barrière à l'égalité est une barrière morale, un tabou qui veut que les femmes conservent le fardeau de la reproduction,

---

190. HALIMI, GISÈLE, *CHOISIR la cause des femmes – La clause de l'Européenne la plus favorisée*, Paris, Éditions des Femmes, 2008.
HALIMI, GISÈLE, « Le complot féministe », *Le monde diplomatique*, août 2003, p. 28, www.monde-diplomatique.fr/2003/08/HALIMI/10360.

y compris le fardeau moral, la responsabilité de se reproduire[191], tout en en laissant le contrôle à un système « démocratique » dans lequel elles sont considérées comme minoritaires. Même parmi les plus ardents défenseurs de l'égalité se trouveront toujours des personnes, hommes ou femmes, pour affirmer solennellement que l'égalité ne peut être totale à cause de ce facteur… biologique. Mais nul ne connaît mieux les contraintes de la biologie que les femmes.

Pourquoi devraient-elles s'occuper des enfants plus que les hommes ? Le facteur biologique s'étire-t-il jusqu'à la fin de la scolarité des enfants ? Pour l'instant, l'image de la famille est floue et les pressions sociales pour « fonder une famille » et avoir des enfants, très fortes dans certains pays d'Europe, ne pourront plus avoir les effets des incitatifs religieux du passé.

Beaucoup d'enfants, à l'adolescence, ont déjà vécu deux ou trois situations familiales différentes. Nous ne pouvons pas deviner ce qu'ils feront lorsqu'ils seront adultes. En revanche, nous savons ce que devraient être les principes directeurs de l'activité humaine dans les prochaines décennies. Les femmes, au moins, les connaissent.

Au-delà de l'aide apportée aux femmes et aux enfants, tout autant qu'aux pères, une question demeure, la plus importante : que devons-nous faire pour que les couples et les enfants vivent dans les meilleures conditions possibles ?

Pour l'instant, même en Suède, le nombre d'hommes capables de répondre aux idéaux est réduit. Un taux élevé d'hommes déstabilisés, une éthique laïque mal définie et une ancienne morale toujours vivante rendent difficiles les choix de société. Beaucoup plaident pour une réflexion plus élaborée. Les Suédois eux-mêmes avouent avancer sur une base pragmatique plus qu'intellectuelle et philosophique, même si les concepts directeurs du projet suédois ont été élaborés dans les années 1950 par des intellectuelles de taille comme Alga Myrdal, Viola Klein, Eva Moberg : égalité dans la responsabilité de la famille, dans le travail, une société basée sur l'individu et non plus sur la famille, basée sur le partenariat des hommes et des femmes.

Si une femme égale un homme, il faut qu'elle puisse sortir de sa « condition » de femme, de mère, au point où la totalité de l'éducation

---

191. Un premier ministre du Québec, Lucien Bouchard, avait soulevé un tollé lorsqu'il demanda aux femmes de faire plus d'enfants.

des enfants pourra être assurée par la société, par l'État, comme le fait l'école obligatoire pour les enfants plus âgés, les parents jouant alors le rôle de guides et s'assurant de l'épanouissement de leurs enfants.

L'humanité est en train de prendre la décision suprême, celle de sa place sur terre. La guerre, l'extermination des espèces animales et végétales, le développement économique de tous les pays, l'influence des activités humaines sur le climat, la surpopulation, menacent notre survie à court terme. L'idée de progrès repose sur un consensus mondial. L'égalité est une condition *sine qua non* de sa réussite, et l'égalité entre les femmes et les hommes doit être la première à se réaliser. Albert Jacquard nous dit que « les hommes sont pour la première fois confrontés à la finitude de leur domaine » et cite Valéry : « Le temps du monde fini commence[192] ». Ce qui est fascinant, c'est que nous ne savons pas encore comment, concrètement, nous traiterons ce problème, mais dans beaucoup de petits pays des pistes de solutions sont avancées et mises en pratique.

Sur le plan individuel, cependant, nous devons réaliser que les « expériences » humaines laisseront des traces. Ce n'est pas un hasard si, la même année, Catherine Millet, partie d'un accord de liberté avec son homme, Françoise Hardy puis Benoîte Groult, amoureuses inconditionnelles, racontent leur souffrance. Nul n'est à l'abri de ses sentiments, fussent-ils ringards, modernes, post quelque chose, ils sont tout simplement humains. Mais il nous faudra retenir tout de même que les amours passées, n'auront pas été plus drôles, sauf dans notre nostalgie. Nous ne luttons pas pour éliminer toute souffrance, nous luttons pour remettre les rôles à égalité. Avec l'espoir et la certitude que ce sera mieux.

La conclusion de ce chapitre sur le renouvellement des rapports humains, nous la laissons au professeur Gaston Marcotte : « L'humanisation est cette partie de l'éducation qui favorise l'acquisition de valeurs, d'attitudes, de connaissances, d'habiletés et de comportements essentiels au développement intégral et harmonieux de ses dimensions physique, mentale, affective, sexuelle, sociale, morale et écologique. [...] Au lieu de faire de l'humanisation leur priorité, les êtres humains ont mis les systèmes d'éducation au service des pouvoirs en place

192. Jacquard, Albert, *L'explosion démographique*, Paris, Flammarion, 1993, p. 99.

comme l'Église, l'État et les idéologies. [...] Aujourd'hui, l'école est presque exclusivement vouée à l'économie. Continuer d'enseigner aux générations futures l'idéologie de la production, de la consommation et de la compétition comme principal moteur du progrès humain et fondement du bonheur représente une voie sans issue[193]. »

La disparition du pouvoir des hommes ?

Pour certains penseurs, un pouvoir s'exerce toujours aux dépens des autres. Pourquoi ce schéma serait-il le seul ? Le plus souhaitable serait que le pouvoir tout court soit partagé entre les hommes et les femmes.

C'est l'organisation de la société qui détermine la concentration des pouvoirs. Marshall McLuhan n'aurait pas contredit ce fait. C'est un général, le président Eisenhower, qui a, le premier, mis en garde les Américains contre le complexe militaro-industriel qui domine l'organisation sociale des États-Unis et en définit les besoins. C'est l'image d'une société masculine.

La Norvège, à l'opposé, s'est orientée vers la réalisation d'idéaux démocratiques en s'attaquant à la corruption, c'est-à-dire au véhicule qui permet au pouvoir de délaisser l'intérêt public au profit d'intérêts particuliers ou de maintenir une structure de pouvoir existante.

Quand on parle de société égalitaire, il est difficile d'ignorer ces données : le principe d'égalité par essence englobe nécessairement toutes les classes de citoyens, et l'égalité des genres ne pourra pas créer de nouvelles inégalités.

En ce sens, le pouvoir des hommes, comme « groupe », sera probablement réduit, pour faire une société meilleure et permettre à tous des relations plus enrichissantes. Le concept de compétition ne disparaîtra peut-être pas, mais il sera beaucoup plus policé, et l'ensemble de la société fera en sorte que tous pourront avoir accès aux mêmes droits, aux mêmes ressources, modernisant ainsi la phrase de Marx : « À chacun selon ses besoins. »

Le monde que nous connaissons aujourd'hui n'est pas fini. Bien d'autres approches peuvent être explorées, bien d'autres formes de société peuvent être créées.

---

193. Larochelle, Renée, « Bons baisers de Chines », *Au fil des événements*, 28 août 2008.

Même parmi les convertis, certains prétendent que la biologie est un véritable obstacle à l'égalité parfaite, mais nous sommes d'un avis contraire.

Que les hommes se rassurent : dans un monde égalitaire, ils ne perdront rien, et, dans le monde actuel, ils détiennent toujours l'essentiel du pouvoir. Les « fathers[194] » qui grimpent sur le pont Jacques-Cartier de Montréal pour pleurer sur leur sort perpétuent la dynamique traditionnelle des mâles : contrôler l'ensemble de la société. Ils invoquent des statistiques effectivement troublantes sur le sort des mâles (suicide[195], résultats scolaires, itinérance, entre autres), mais leur sort n'est pas comparable à celui des femmes, ni provoqué par leur comportement. D'ailleurs, il y a plus de tentatives de suicide chez les femmes.

Il y a toujours eu plus de clochards masculins, bien avant le féminisme ! Les masculinistes réclament un certain retour en arrière, comme si leurs difficultés étaient imputables à l'émancipation des femmes. Les problèmes qu'ils soulèvent sont réels, ce qui devrait les inciter plutôt à s'engager profondément dans une nouvelle éthique, puisqu'il semble que, justement, il s'agisse d'un problème d'engagement. Les femmes sont peut-être tout simplement mieux adaptées à l'apprentissage ou simplement plus déterminées à prendre leur place. Certains ont proposé l'abandon de la mixité dans les écoles, mais nous penchons plutôt pour une simple amélioration de l'enseignement : des taux de décrochage très importants chez les filles comme chez les garçons, contrairement aux idées reçues, nous mettent sur la piste de la faible qualité de l'enseignement.

Les hommes n'abandonneront pas le pouvoir facilement. Chaque génération remettra en question l'égalité entre les hommes et les femmes parce que c'est la solution la plus facile. Troquer le pouvoir contre l'apprentissage d'une vie commune harmonieuse ressortit à un processus d'achèvement de l'être moderne.

Il faudra une éducation intellectuelle, conceptuelle, pour s'assurer que chaque nouvel enfant comprendra le sens du parti pris humanitaire

194. Fathers 4 Justice, mouvement international qui revendique le droit des enfants de voir leurs deux parents, d'entretenir des liens significatifs entre les enfants et leurs deux parents, mais aussi entre les enfants et leurs grands-parents et la famille élargie.

195. En Arabie saoudite, sur 100 personnes qui se suicident, 96 sont des femmes. *Marie-Claire*, n° 668, avril 2008.

qui est la base de notre vie en société. Il s'agit d'étendre le concept de l'abandon de la violence à toutes nos relations… Il s'agit d'apprendre à vivre le plus tôt possible. C'est là le défi éducatif du XXIe siècle.

Qu'est-ce qu'un couple, une famille ?

Nous vivons encore aujourd'hui avec l'image d'une famille idéale venue de l'Antiquité alors que ce modèle n'aura prévalu, dans l'histoire moderne, que durant quelques années de l'après-guerre 1939-1945, les Trente glorieuses, plus spécifiquement les années 1950 : un père, une mère, quelques enfants vivant heureux dans une grande maison, fréquentant une école, puis une université, pour recommencer le cycle éternellement.

Une telle réalité est plutôt rare, dans le temps, dans l'histoire. C'est justement ce que dénoncent les femmes depuis le début des mouvements de libération. Tantôt lapines et machines de reproduction, tantôt esclaves battues, captives dans une cage dorée ou mariées de force, elles devraient aujourd'hui prendre la responsabilité de l'unité et de la durée de cette famille idéale ?

Les enfants, base officielle de la dialectique masculine, ont fait les frais de toutes les injustices, de toutes les dominations. Dans nos pays, les enfants sont les plus pauvres de nos concitoyens. Où est donc cette famille heureuse ? Dans les images de la famille américaine des années 1950 ?

LA RÉALITÉ ATTEND LE DROIT

Selon le recensement de 2006, au Canada anglais, en moyenne 13,4 % des couples vivent en union libre. En Ontario, ce taux est de 10 %, au Québec, de 34,6 %, en Suède, de 25 %, en Finlande et au Danemark, de 24 %.
Le quart des couples en union libre au Canada vivent dans les régions de Montréal et de Québec.
La proportion de couples mariés est de 54 % au Québec contre 68 % au Canada.
Selon Me Jocelyne Jarry, en 2003, donc avec un peu moins de couples en union libre qu'aujourd'hui, 43 560 enfants sont nés hors mariage contre 30 040 issus de couples mariés. L'INSEE, en France, constate le même phénomène. La durée moyenne de l'union libre est de 4,3 ans ; celle du mariage est de 14 ans.

Même avec une durée moyenne de 14 ans pour les mariages, nous ne sommes pas certains que la configuration traditionnelle de la famille soit la bonne. La réalité nous démontre que la moitié de la population, qui ne se marie pas ou a rompu un mariage, adhère à d'autres modèles familiaux. L'école, la garderie sont déjà, malgré leur insuffisance et leur sous-financement, des institutions essentielles au développement des personnes[196], supérieures au système de la famille traditionnelle, par ailleurs fortement ancrée – elle aussi – sur des valeurs masculines.

Tout dépend, bien sûr, de la qualité de vie à l'intérieur du couple. Difficile donc de dire quelle est la meilleure structure familiale. Mais cette phrase d'une femme interviewée revient comme un leitmotiv: « Autour de moi, je ne connais que des couples en difficulté et des gens qui ont réussi leur séparation. »

Selon Francine Descarries, sociologue de l'université Laval, et Solange Collin, comédienne et auteure, c'est à la société de s'adapter pour permettre aux femmes de conserver tous les acquis de leur carrière en leur donnant, ainsi qu'aux pères, la possibilité de rester auprès de leurs enfants en continuant de travailler.

Pour Francine Descarries, ce qui est important, c'est de ne pas redonner vie à la division sexuelle du travail, qui associe enfantement et lavage de planchers. Or, dans l'entrevue d'une femme qui est restée au foyer depuis six ans, des signes inquiètent, même si le père semble prendre en charge certaines tâches : « Je ne me sentirai pas une bonne employée parce que mes enfants ne font pas toutes leurs nuits, je me réveille souvent... »

Le dernier mot revient à Solange Collin : « Je ne connais pas d'hommes qui pensent qu'ils vont se trouver une femme qui gagne bien sa vie pour rester, eux, à la maison, alors pourquoi les femmes devraient penser comme cela ? » Voilà une égalité bien comprise.

---

196. Une étude récente a démontré que les enfants issus de milieux aisés entendaient 45 millions de mots entre leur naissance et l'âge de quatre ans. Dans les milieux défavorisés, ce total ne dépasse guère 13 millions de mots. Il y a donc un écart de 30 millions de mots... que peuvent venir combler les services de garde. Les mères pauvres passent six fois moins de temps avec leurs enfants que les mères nanties. Le problème est de savoir qui et combien sont les mères « nanties »... , SAUVÉ, ROBERT-MATHIEU, « Les bébés pauvres devraient tous fréquenter la garderie », *Forum*, 24 septembre 2007. http://nouvelles.umontreal.ca/content/view/413/228/)

Les enfants et la population mondiale

La pauvreté et la violence ne sont pas les seuls facteurs qui vont déterminer l'action des gouvernements sur les institutions qui gèrent la reproduction des êtres humains. Chaque pays sera vite contraint d'adopter une politique exprimée démocratiquement et non pas imposée, et en relation avec celles des autres pays.

Des phénomènes sociaux d'une envergure qui dépasse tout ce que l'on a connu au cours du dernier siècle, mis à part les guerres, vont provoquer des changements fondamentaux dans la reproduction de notre espèce. L'écologie, la nécessité d'une paix mondiale stable, d'importantes pressions migratoires et le principe de libre circulation dans le monde vont nous contraindre à changer nos comportements de manière draconienne et à adopter des politiques de contrôle des naissances.

Les effets de la démographie mondiale se font sentir dans le monde entier depuis au moins une décennie. Ils affectent tous les aspects pratiques de la vie, d'une manière particulièrement spectaculaire sur l'immobilier et les matières premières. Une immigration importante peut faire doubler le coût du logement en quelques années ; les besoins en certaines matières premières d'un petit groupe de pays vont prochainement dépasser la quantité disponible de cette matière : pétrole, poissons, café.

La Chine a été le premier pays au monde à réglementer les naissances. À cette époque, elle était plus peuplée que l'Inde qui a adopté en 1951 une politique de limitation des naissances non coercitive.

De nos jours, la résurgence des nationalismes, la soif de natalité de nombre de pays, l'incessante remise en question de l'avortement sont autant de signes de l'absence d'idées communes sur le problème de la place des humains sur la planète.

Nous vivons dans un état permanent de paradoxe, dans lequel nous acceptons que les pays émergents parviennent à notre niveau de consommation, de richesse, tout en redoutant la puissance que nous allons ainsi leur permettre de construire.

Tôt ou tard, il faudra penser à établir un consensus mondial sur la population, prendre conscience que l'humanité ne pourra s'accroître éternellement et aussi s'assurer que « le reste de la nature », le règne animal et le règne végétal conserveront une certaine place. Se posera alors le problème des grandes forêts, de la répartition des ressources... et, plus simplement, de l'intérêt de coloniser ainsi le monde : serions-nous investis d'une mission divine ? « Emplissez la terre et soumettez-là », nous dit la Genèse.

Allons-nous tenter de conserver l'état actuel des populations nationales, laisser les nations libres de leur développement démographique ? Nous ne possédons pas de solution miracle : l'immigration dite « choisie[197] » a des avantages économiques immédiats, mais l'immigration libre a bâti les États-Unis en les nourrissant d'une diversité dynamisante.

Rarement dans l'histoire moderne les femmes ont-elles réellement contrôlé la natalité. La religion, les pressions sociales, la culpabilité ont trop souvent dirigé leur conduite, au détriment de leur vie personnelle et de leur émancipation.

Jusque dans les années 1960, au Québec, les curés harcelaient les ménages pour leur faire produire des familles nombreuses. Depuis, ce sont les nations qui, pour des raisons économiques et raciales, créent des « incitatifs » dont on peut dire aujourd'hui qu'ils sont d'inspiration « nationale », visent à supplanter les voisins ou à corriger temporairement des déficits[198]. Il existe là une concurrence dont une partie est loyale et l'autre pas.

Là encore, tout reste à faire ; les réponses que le féminisme nous a apportées sont encore trop récentes et n'ont pas couvert l'ensemble du problème. Nous attendons les réponses des femmes de pays en guerre, Palestiniennes, Africaines, et aussi des Chinoises, des Indiennes, de toutes celles qui constituent cette moitié du monde qui est la première concernée.

Nous laissons à nos descendant un bien délicat problème. Nous vivons dans ce domaine, comme en écologie, une course folle qui

---

197. Adoptée par de nombreux États, elle a aussi l'inconvénient de ponctionner certains pays de leurs forces vives (les ingénieurs indiens, les scientifiques iraniens). La délocalisation a un effet similaire en incitant les producteurs locaux à ne travailler que pour les commanditaires des pays riches au lieu de satisfaire les besoins de la population locale.

198. Le financement des retraites à partir des cotisations des travailleurs actifs pose également un (faux) problème de population. Il faudra financer les retraites différemment et prioriser les politiques de population en réglant séparément les déficits.

transforme les individus. Nous nous empressons de profiter de l'eau, des sacs en plastique, de l'essence et des gros véhicules, d'un luxe honteux, sachant bien que, du jour au lendemain, tout cela disparaîtra comme peau de chagrin.

Élaborer une nouvelle éthique

Les mesures radicales prises dans les pays nordiques étaient urgentes. Mais en plus de répondre à des besoins criants, elles recouvrent aussi des changements dans la conception même des sociétés. Dans les pays scandinaves, l'éducation de l'enfant est à la charge de l'État dès le plus jeune âge. C'est l'un des prix de l'indépendance des femmes, mais qui dit que c'est un prix à payer ? Le projet éducatif commence dès ce jeune âge. Contrairement à ce qui se passe en France ou au Québec, il n'existe pas de rupture entre la crèche et l'école, du moins elle n'est pas aussi grande, et l'enseignement reçu à la garderie est un déterminant majeur de la vie scolaire à venir. C'est à ce moment de la vie que les exclusions commencent et peuvent être arrêtées.

Au Québec, les parents peuvent « enrichir » les garderies en donnant du matériel, en finançant des activités. Ce simple fait, banal en apparence, contribue à augmenter les différences entre les enfants de diverses origines sociales. C'est dans les quartiers défavorisés qu'il faudrait apporter cette aide supplémentaire, pas dans ceux où tout va bien. Une telle pratique démontre bien la différence entre le concept communautaire et le concept de société de consensus. Dans un cas, l'on aide les siens, dans l'autre, on s'assure que tout le monde suive.

L'exemple du Québec est intéressant. Ici, seulement 20 % des enfants de deux ou trois ans sont « scolarisés » en garderie, contre 80 % en Europe du Nord ou en France. Pour une femme qui élève seule son enfant et qui ne trouve pas d'emploi, l'intérêt d'inscrire son enfant en garderie n'est évident que si une éducation solide lui est donnée et si la garderie permet à la mère d'avoir accès au travail et à la dignité. La solution consiste à envisager effectivement une nouvelle éthique sociale dans laquelle la place des pauvres, de ceux qui traînent, des artistes, comme celle des bourgeois et des financiers sera redéfinie.

Un exemple : en Finlande, une loi oblige les municipalités à fournir des cours de rattrapage aux élèves en difficulté. Toutes les sociétés ne sont pas prêtes à accepter une telle conception « socialiste ».

Doit-on obligatoirement passer par une telle transformation de la société ? Doit-on accepter comme un fait que les couples ne durent plus et corriger les lois en fonction de cette nouvelle réalité ? Existe-t-il d'autres solutions dans le cadre actuel de la famille ?

Les parlements, toujours majoritairement composés d'hommes, ne sont pas enclins à alimenter un tel débat. Nous avons aussi vu en Europe comment les gouvernants appellent à « revoter » le traité constitutionnel quand un référendum ne donne pas la bonne réponse. Nous avons vu que l'Irlande et la Pologne veulent obtenir des statuts particuliers au sein de L'Europe ; seront-ils provisoires ou ancreront-ils des sociétés « distinctes » dans la tradition ?

Quant aux médias, par essence initiateurs de débats, ils sont loin d'avoir intégré un nombre critique de femmes dans leurs rangs, ce qui bloque tout simplement la réflexion.

Il est difficile de concevoir qu'une nouvelle éthique puisse s'implanter dans les démocraties actuelles. Le lien entre les citoyens et les politiques ne convient plus. C'est un immense problème de démocratie, dans la mesure où la politique se pose comme un système dominant qui ne reconnaît pas les différents niveaux de régulation et, par conséquent, ne reconnaît pas comme primordiales ces nouvelles valeurs adoptées par les citoyens.

Nous vivons à l'une des rares époques où les citoyens sont souvent plus aptes à comprendre les enjeux que bien des dirigeants et ministres. Ils sont, à maintes occasions, en avance sur les élus... ne serait-ce que parce que les institutions politiques sont elles-mêmes des créations d'une autre époque. Rappelons-le, ce sont les sénateurs français qui ont bloqué, durant 100 ans, l'octroi du droit de vote aux femmes.

La présence devenue nécessaire de l'État, ses interventions dans tous les domaines de la vie particulièrement dans la reproduction limitent le nombre d'enfants que les citoyens auront.

La nécessité de penser démocratiquement le projet démographique est illustrée dramatiquement en Chine, où nombre de bébés filles ont été systématiquement abandonnés ou carrément tués à la naissance, parce que l'État imposait un quota d'enfants qui n'était pas accepté dans les campagnes, les filles étant considérées, à tort, comme incapables d'aider à la ferme. Il ne s'agit pas d'un phénomène isolé : il manque là-bas, aujourd'hui, quelques dizaines de millions de femmes.

Aux antipodes, Ever Kier Hansen, ministre des Affaires sociales du Danemark, nous apprend que c'est dans son pays que le taux de fréquentation des garderies par les enfants de moins de trois ans est le plus élevé : 50 %. En Allemagne, il est de 2 %[199].

Le Danemark, toujours, a le taux d'aide sociale le plus élevé d'Europe. Une famille de fermiers parents de 14 enfants y touche 3 300 euros par mois, aide sociale incluse. Dans la mesure où ces fermiers travaillent, l'aide reçue prend un sens positif puisqu'elle leur permet à la fois d'élever des enfants et de continuer de fournir leur apport à la société. En France, une femme seule élevant trois ou quatre enfants recevra environ 1 300 euros par mois. Après le paiement du loyer, il en restera moins de la moitié… et un certain découragement.

Conclusion : le Danemark a le plus grand pourcentage de mères célibataires occupant un emploi.

Nous n'avons pas encore trouvé la grande solution. Les principales concernées, les femmes, n'ont pas encore fait entendre leur voix sur le problème. Elles se contentent de jouer le rôle qu'elles s'attribuent elles-mêmes par défaut. Si les femmes peuvent faire mieux toutes seules qu'avec un compagnon…

En Europe, on commence à comprendre que les associations ont un grand rôle à jouer. Plutôt que de vivre à côté ou en opposition avec les décideurs, elles deviennent les conseillers des décideurs. Dans les pays scandinaves et aux Pays-Bas, le système associatif fournit à l'État les piliers de son intervention. La France elle-même héberge des « maisons des associations » qui mettent à leur disposition l'intendance, des moyens techniques, et aussi une reconnaissance politique[200].

---

199. Depuis 1995, chaque municipalité suédoise doit être en mesure de garantir une place de garde pour chaque enfant âgé d'un an ou plus dont les parents travaillent, ce que le gouvernement français appelle « le droit opposable à la garderie », prévu pour 2012 à l'image du droit opposable au logement, soit la possibilité pour un citoyen de demander à un tribunal de forcer les autorités à lui fournir un logement.

200. En France, il existe un million d'associations, mais un grand nombre d'entre elles, parmi les mieux financées par l'État, ne sont que des prolongements du secteur public. Parmi elles, 920 000 ne comptent en leurs rangs aucun salarié. Il existe en Suède 350 000 associations pour 9 millions de personnes, ce qui équivaudrait à 2,5 millions d'associations pour la France et 300 000 pour le Québec. Selon l'encyclopédie canadienne *Historica*, le Canada compte 20 000 associations. L'ACFAS dénombre au Québec 3 000 coopératives et 5 000 associations constituant « l'économie sociale ».

Quand un groupe de citoyens passionnés a travaillé pendant des dizaines d'années sur un sujet en particulier, son expertise est essentielle. C'est cette force que l'on peut harnacher dans un système politique intelligent, et c'est certainement la meilleure façon d'exercer une démocratie participative.

À cet égard, on est en droit de se demander pourquoi il est admis que des chefs d'entreprises sélectionnés conseillent les dirigeants (Maison Blanche, G8, Davos), alors que des associations *ad hoc* connaissent sur le bout des doigts les problèmes pour lesquels elles ont vu le jour. Si les autorités financières avaient écouté les associations de propriétaires afro-américains qui se sont occupées des problèmes de crédit hypothécaire un an ou deux avant tout le monde, jamais la crise économique n'aurait été si intense.

En quoi le président de Lehman Brothers ou d'une entreprise forestière serait-il meilleur conseiller qu'un groupe de citoyens appuyé par des chercheurs ? Pourquoi ne pas soutenir totalement les groupes qui s'occupent des femmes et appliquer les solutions qu'ils proposent ?

La plupart des politiciens répondront que ces associations n'ont pas été élues, qu'elle n'ont pas de légitimité. Mais alors, comment comprendre la présence d'entrepreneurs et de financiers autour des présidents ?

Parlant de nouvelle éthique, la France a élaboré au fil des siècles une conception du statut de la femme en tant qu'épouse. Jusqu'à une date récente, la loi ne lui donnait aucun droit après la disparition de son compagnon. C'est seulement depuis décembre 2001 que le conjoint survivant a pris un rang dans la succession, mais après les enfants et les parents, comme s'il avait perdu l'appartenance au clan familial[201]. Mais l'a-t-il jamais eue ? Au pays de l'amour, on peut se demander pourquoi, au XXIe siècle, le conjoint est évincé de la fortune qu'il a bâtie pour moitié.

Étant donné le faible pourcentage de femmes qui travaillent[202], les lois sur les successions plongeaient les femmes dans la pauvreté : après la disparition du mari, elles n'avaient plus rien. Même les contrats de mariage ne leur donnait qu'un usage restreint des « biens du mari ». Quant aux concubines....

201. *Que choisir*, n° 398.

202. La proportion de femmes au foyer est de 40 % lorsqu'elles sont mères de deux enfants, et de 64 % quand elles en ont trois.

Nous croyons que les lois sont faites pour protéger et faire valoir une certaine conception de la vie et, à ce titre, qu'elles reflètent et révèlent les intentions sociales. Ainsi, en l'absence de testament, la compagne de 30 ans de l'écrivain suédois Stieg Larsson[203], Eva Gabrielsson, n'a aucun droit à la succession de son compagnon, dont la fortune revient à sa famille avec laquelle il était brouillé depuis longtemps. Pourquoi pas le contraire ?

---

203. Écrivain suédois, auteur de la trilogie *Millénium*, grand succès de librairie publié par Actes Sud, 2005-2008.

Sixième partie : Conclusion

Les femmes vont-elles changer le monde ?

La première réponse qui vient à l'esprit devrait être : là n'est pas la question. L'égalité, c'est un problème humain, le problème de la liberté, comme le disait Tocqueville. C'est un parti pris que les pays modernes ont inscrit dans leurs constitutions, avons-nous dit. Les femmes seront ce qu'elles voudront être et feront ce qu'elles voudront faire, comme les hommes.

Dans les faits, il n'y a pas d'égalité. Quelques femmes fortes, des battantes qui n'ont aucune peur du pouvoir, agissent comme les hommes, et nous sommes témoins d'avancées importantes vers l'égalité, mais, dans les faits, il n'existe de relations égalitaires dans aucun pays.

Margaret Thatcher, Angela Merkell, des chefs de très grandes entreprises ont pris leur place et, pour beaucoup, sans même avoir pris conscience des barrières dressées sur leur route.

Dès le moment où une femme accède à un poste, la question de cet accès n'est plus de mise. La voie est, en principe, ouverte. Il suffit alors d'éviter qu'elle se referme. Barack Obama, dans son discours d'acceptation de la candidature démocrate, a bien exprimé l'image d'une discrimination qui disparaît : « Cette élection ne me concerne pas, elle vous concerne[204]. » Il ne s'agit pas d'élire un Noir, mais d'établir des politiques… C'est pour cela que les Américains ont voté.

C'est ce que Dany Laferrière a exprimé en expliquant qu'une personne n'est noire que lorsqu'elle est confrontée à un Blanc. L'égalité, ce sera exactement l'inverse tout en étant la même chose, comme l'auraient dit les Dupondt.

L'égalité, ce n'est pas l'égalité des plus fortes, c'est l'égalité de toutes les femmes et de tous les hommes.

Pour qu'elle se fasse, il faut l'inscrire dans un processus démocratique de refonte des institutions. Auparavant, il faut aussi revoir quelques définitions. Nous devons savoir où nous sommes et où nous voulons aller, et rétablir le contact avec les hommes au sujet de ce fameux engagement.

---

204. Discours prononcé 45 ans jour pour jour après le célèbre « I have a dream » de Martin Luther King.

Cet exercice sera peut-être le plus important depuis l'invention de la démocratie. À ce titre, le poids des femmes dans les décisions risque fort de colorer nos mœurs, de les édulcorer, de les rendre moins violentes, une façon de nous intégrer à l'écologie. Ce que l'on sait aujourd'hui, c'est que les femmes, quand elles entrent dans la vie, veulent y jouer un rôle, aider les autres, par opposition aux hommes, plus axés sur la performance, sur l'argent. Tous les enseignants le disent.

On peut donc avoir la certitude que les femmes vont modifier en profondeur les relations entre les humains (quelle difficulté de désigner l'ensemble des personnes sans utiliser la racine « homo », comme si le mot « femme » était un mot de seconde zone !). L'entrée des femmes en politique, en décision, continue un processus de civilisation entamé sans elles, et redonne, au moment où elle en a bien besoin, un sens à la démocratie.

Rien ne dit que la force, la triche, le vol, soient des attributs nécessaires et éternels des sociétés humaines. Et certainement pas aux niveaux actuels. Les qualités des femmes sont réelles, et un simple petit geste montre à quel point la démocratie va y gagner : les femmes, en général, considèrent leur salaire comme un revenu commun, tandis que les hommes ont plutôt tendance à ne donner à la famille qu'une partie de leur revenu[205].

Colette de Troy[206] cite l'exemple de la Suède où la présence de femmes dans les différents gouvernements a permis de « comprendre les mécanismes de toute cette violence » à propos du « droit » des hommes à disposer des femmes comme des objets sexuels. Une loi de 1999 y interdit la sollicitation et le proxénétisme, prévoit l'assistance aux prostituées et une ligne téléphonique pour les clients.

Là où nous parlons volontiers d'égalité, les femmes parlent maintenant de différence : l'égalité ne fera pas disparaître les couleurs de la vie. Pour les hommes, le monde des femmes est un univers à découvrir. Même si nous adhérons totalement aux thèses les plus réjouissantes et révolutionnaires des philosophes modernes, même si nous croyons que les femmes vont vraiment

205. Sarrasin, Hélène et Paule Belleau, « Capital amoureux », *Gazette des femmes*, mai-juin 2008.

206. Coordonnatrice, Lobby européen des femmes.

changer le monde, nous voulons surtout que les institutions reconnaissent dans les faits que la manière féminine est actuellement la seule porteuse d'espoir. Nous avons tout essayé, sauf cela. Les femmes nous convient à un autre monde, à une autre manière de voir la vie et à des progrès intellectuels énormes, car si les femmes connaissent tout de même assez bien les hommes, ces derniers connaissent plutôt mal l'univers des femmes. C'est le grand péché des dominants.

Le syndrome norvégien : l'égalité maintenant

La loi norvégienne qui contraint (une contrainte bien douce) les entreprises à former des conseils d'administration paritaires est intéressante sous deux aspects.

Le premier, c'est que ce soit un député conservateur qui l'ait imaginée. L'égalité n'est pas une politique de gauche, et elle pourrait constituer un bon calcul économique.

Le deuxième aspect est son caractère immédiat, révolutionnaire, drastique, contraignant. Cela ne désavantage pas les femmes ni ne les fait passer pour des assistées ou des pistonnées : c'est la démarche normale, c'est une démarche de libération. Bien avant de faire voter la loi abolissant l'esclavage, Victor Schoelcher a d'abord pensé que cela devait se faire par étapes, sur une période de 30 années ! Comment aurait-on pu, dans un même pays, à une même époque, accepter deux classes de citoyens, les affranchis et les toujours-esclaves ? L'esclavage aurait alors continué, jusqu'à la libération du dernier esclave ?

En 1971, les Norvégiennes, lasses d'attendre, barrent le nom des hommes sur les listes de représentants lors d'une élection. S'ensuivront des hauts cris sur le respect de la démocratie, mais les électeurs continueront d'ajouter des noms féminins sur les listes de candidats. Voilà un cas de discrimination positive efficace puisque, aujourd'hui, les gouvernements paritaires se succèdent, et les femmes n'ont plus besoin de ces actions d'éclat pour se faire élire.

Ce que nous appellerons désormais le syndrome norvégien nous apprend qu'aucune catastrophe ne vient troubler l'équilibre des sociétés quand un changement radical survient. Comme le souligne François de

Closets[207], beaucoup de changements radicaux ne se sont produits que très longtemps après le moment où ils auraient dû se produire. Son exemple tombe à point : le droit de vote des femmes en France.

En 1848, la question est posée, puis rejetée six mois plus tard par un Parlement évidemment masculin. L'idée renaît en 1900 avec Viviani puis en 1908 avec Jaurès, et en 1919 – voilà de la lenteur et du délai – la Chambre vote en faveur du droit de vote des femmes par 344 voix contre 97, mais le Sénat écrase l'avancée. Plus tard, un autre vote unanime est encore battu par le Sénat. La militante Louise Weiss, qui s'est attachée aux grilles du palais du Luxembourg en 1936 pour dénoncer l'inégalité, subit encore les sarcasmes de ses compagnes, ouvrières et bourgeoises. Et l'auteur conclut que « seuls des coups de boutoir pouvaient vaincre les résistances et prouver par l'évidence des faits ce que ne pouvait démontrer le seul exercice de la raison ». De quoi se demander, un siècle plus tard, si la stupidité est transmissible par les gènes ou par la culture, l'éternel débat sur l'inné et l'acquis… serait-elle biologique ?

Les sociétés étaient « prêtes » pour le droit de vote des femmes (ne l'ont-elles pas toujours été ?). Seuls les gouvernants ne l'étaient pas. Ici comme ailleurs, le peuple précède ses dirigeants, et c'est sans doute pour cela que ces petites révolutions peuvent se faire sans problème.

Une autre évidence est apparue aux économistes : le succès d'une réforme, même radicale, ne dépend pas de la durée d'une période d'adaptation, mais de la rapidité avec laquelle la réforme se concrétise[208]. En d'autres termes, il faut au plus vite faire disparaître la cause du problème et s'investir totalement dans la nouvelle solution, ce qui est souvent la partie la plus négligée. Malheureusement, en politique, annoncer une réforme rapporte plus que la mettre en œuvre.

À l'instar de la Norvège, nos pays si bien nantis devraient immédiatement prendre une série de décisions dont on sait qu'elles sont bonnes et rentables et qu'elles font l'objet d'un consensus. En voici quelques-unes :

• Assurer aux femmes battues une gamme de services : soutien monétaire, reclassement, nouvelle identité, soutien psychologique pour elles-mêmes et pour leurs enfants, dépistage par signalement aux autorités.

---

207. de Closets, François, *Le divorce français*, Paris, Fayard, 2008.
208. OMC, op. cit.

• Créer un régime de protection sociale basé sur l'efficacité des aides, sur la remise en route des citoyens en difficulté, et instaurer un régime de retraite spécial permettant à tous de recevoir un revenu décent jusqu'au décès.

• Établir un réseau de garderies suffisant dans l'ensemble du pays. Un réseau scolaire doit répondre à tous les besoins, pas seulement à 80 % des besoins. Le même raisonnement s'applique aussi aux garderies.

• Voter immédiatement la loi sur la parité dans les conseils d'administration de toutes les entreprises, et la mettre en application dans un court délai.

• Instaurer la parité salariale dans la fonction publique et, simultanément, un programme de promotion prioritaire des femmes jusqu'aux plus hauts postes.

• Instaurer dans les écoles des programmes d'insertion et de participation des hommes à des tâches dites « féminines ».

• Promulguer une loi contraignante pour obliger les partis politiques à présenter autant de candidats masculins que féminins.

• Établir un tribunal de l'égalité pour traiter rapidement des problèmes de discrimination et des inégalités salariales. Une telle institution devrait également traiter des cas de racisme et autres discriminations.

• Établir une commission (paritaire) de réforme des institutions chargée de revoir la pertinence ou la modification des institutions pour les rendre compatibles avec les objectifs de l'égalité.

• Dissoudre et refonder sur une base égalitaire les institutions composées à trop forte majorité de personnel et de dirigeants masculins.

• Établir de nouvelles conditions d'égalité et de justice sociale pour l'octroi des marchés publics, des subventions, des déductions fiscales et d'aide à l'emploi.

• Créer des incitatifs pour parvenir à la parité dans les métiers à forte présence d'un seul genre : mécanique, garderie, soins aux personnes âgées, garde des parents à domicile.

• S'assurer que l'enseignement conduise à la répartition égalitaire des tâches et du travail.

• Intégrer, dans tous les budgets des ministères, la notion de parité.

On dit que 50 ans dans l'histoire de l'humanité, ce n'est rien. L'égalité des femmes se fera de toute façon encore très lentement, de la manière la plus naturelle et malgré les réformes les plus draconiennes. Il existe assez de pauvreté et d'inégalités dans le monde pour que leur disparition prenne encore le temps de quelques générations. Point n'est besoin de ralentir le processus.

Épilogue

Nous pourrions avoir l'impression que les progrès essentiels ont été réalisés, que la situation des femmes dans les pays démocratiques est bonne, à quelques ajustements près. Ce n'est pas la réalité. Alors que les principes démocratiques ne parviennent plus à convaincre tous les peuples et paraissent parfois impraticables (victoire du FIS[209] en Algérie, Afghanistan, Irak, Constitution européenne), l'égalité entre les femmes et les hommes représentera sans doute la plus grande avancée de la démocratie des temps modernes : une proposition difficile à refuser.

Pour l'instant, l'évolution vers l'égalité est bloquée, même dans les pays les plus avancés. Elle est arrêtée par la violence, arrêtée par le travail dit « domestique », arrêtée par la charge de la reproduction, arrêtée par les mentalités.

Nous, les humains, qui sommes si audacieux avec la nature, qui avons extrait toutes les ressources de la Terre pour les concentrer en une pollution extravagante, sommes trop frileux pour tenter de nous changer nous-mêmes. Les institutions créées par les hommes, le comportement des citoyens, souvent même celui des femmes, apparaissent immuables, figés par une inertie injustifiable, par la crainte de changer un ordre établi et plus sûrement par cette dévastatrice volonté de contrôle des femmes par les hommes.

Pourtant, un regard lucide dans le rétroviseur, un regard sur cet ordre, n'est guère rassurant. Les changements sociaux réclamés font alors moins peur que les épouvantables luttes et les souffrances des siècles passés. Derrière toute cette mécanique de la discrimination, il y a toujours des êtres humains meurtris, jetés.

Cela revient à dire que l'ensemble de la société doit veiller à ce qu'hommes et femmes puissent avoir des chances égales, non seulement « au départ », comme on l'entend souvent, nous l'avons souligné, mais tout au long de la vie, chaque fois que cela sera nécessaire.

209. Front Islamique du Salut.

Par conséquent, il faudra trouver des solutions pour que les tâches habituellement confiées aux femmes soient assumées par tous. Il y aura donc toujours des interactions au cours desquelles l'équilibre devra être maintenu et protégé, autant par les personnes elles-mêmes que par l'État.

Rien en ce domaine n'est jamais acquis pour l'éternité, ne serait-ce que pour une raison : les hommes naîtront toujours un peu hommes, en plus de le devenir, tout comme les femmes, mais l'incidence de la nature ou de la tradition ne doit plus défaire les idéaux ni servir d'alibi. S'il est un domaine que les humains peuvent explorer, c'est bien celui des relations humaines, parce que c'est le domaine qui a le moins évolué. L'égalité est un beau terrain.

Bibliographie

20 ans d'entretiens visionnaires pour donner du sens à sa vie, Nouvelles clés n°58 été, Paris, 2008.

« Les femmes sont pénalisées par l'assurance emploi », Le Devoir, 22 novembre 2007.

« L'offense est double : discrimination religieuse et sexuelle », La Presse, 15 novembre 2006.

« Projet de loi C-484 – Le Collège des médecins entre dans la bataille », Le Devoir, 3 juin 2008.

« Société : le Japon décrypté sans clichés », TGV magazine, nº 106, juillet-août 2008.

Alternatives économiques, nº 245, mars 2006, p. 34.

ANGIER, NATALIE. *Femme*, Paris, Robert Laffont, 1999.

ANQUETIL, GILLES et FRANÇOIS ARMANET. « Ce qui me révolte », *Le Nouvel Observateur*, nº 2253, 10 janvier 2003.

ARISTOTE. *Politique*, I, 13, 1 260a.

BADINTER, ELISABETH. « L'amour à réinventer », Nouvelles clés, nº 58, « 20 ans d'entretiens visionnaire pour donner du sens à la vie », été 2008.

BAJOS, NATHALIE et BOZON, MICHEL. Population et sociétés, nº 445, mai 2008.

BARD, CHRISTINE, CHRISTIAN BAUDELOT et JANINE MOSSUZ-LAVAU. *Quand les femmes s'en mêlent*, Paris, Éditions de la Martinière, chapitre 3, par Pisier, Evelyne et Varikas, Eleni.

BARRET-DUCROCQ, FRANÇOISE et ÉVELYNE PISIER. *Femmes en tête*, Paris, Flammarion, 1997.

BATLLE, ANNIE et SANDRA BATLLE-NELSON. *Le bal des dirigeantes : Comment elles transforment le pouvoir*, Paris, Éditions d'Organisation, 2006.

BAUDELAIRE, CHARLES. *Curiosités esthétiques*, Paris, M. Lévy & frères, 1868.

BAUDET, MARIE BÉATRICE. Le Monde, 7 octobre 2003.

BEN-DAVID, DAN, HAKAN NORDSTRÖM et ALAN L. WINTERS. *Commerce international, disparité des revenus pour la pauvreté*, coll. Dossiers spéciaux, Genève, Publications de l'OMC, 2000.

BERGER, FRANÇOIS. « Les femmes ne rattrapent pas les hommes », La Presse, 13 juin 2007.

BENZ, STÉPHANIE et DANIÈLE LICATA. « Ces services publics rayés de la carte », L'Expansion, nº 731, juin 2008.

BÉRUBÉ, NICOLAS. « L'enfer à la manufacture », La Presse, 15 mars 2003.

BIHR, ALAIN et ROLAND PFEFFERKORN. *Hommes-femmes, quelle égalité ?* Paris, Les éditions de l'Atelier/Éditions ouvrières, 2002.

BISSONNETTE, SOPHIE. *Sexy Inc., nos enfants sous l'influence*, ONF, 2007.

BOULET-GERCOURT, PHILIPPE. *Le Nouvel Observateur*, nº 2281, 24-30 juillet 2008.

CHAMBON, FRÉDÉRIC et MONIQUE RAUX. « Le maire d'un petit village, séparé de son épouse, étouffe ses trois enfants avant de se suicider », *Le Monde*, 24 septembre 2003.

COGNARD, ALAIN. *La Belle Province des satisfaits*, Montréal, VLB éditeur, 2003.

Collectif. *Manifeste des femmes québécoises*, Montréal, L'Étincelle, 1971.

COMTE-SPONVILLE, ANDRÉ. « On peut vivre une spiritualité sans Dieu ! », Nouvelles clés, nº 58, « 20 ans d'entretiens visionnaire pour donner du sens à la vie », été 2008.

CONTANDRIOPULOS, ANDRÉ-PIERRE et MARC-ANDRÉ FOURNIER. *Féminisation de la profession médicale et transformation de la pratique au Québec*, Groupe de recherche interdisciplinaire en santé – nº de rapport R07-02, Université de Montréal, novembre 2007.

DAGUERRE, ANNE. « Menaces sur le droit à l'avortement », *Le Monde diplomatique*, nº 647, février 2008.

DE BEAUVOIR, SIMONE. *Le deuxième sexe*, Paris, Gallimard, 1947.

DE MALLEVOUE, DELPHINE. « À Lille, la virginité en cause », *Le Figaro*, 30 mai 2008.

De Closets, François. *Le divorce français*, Paris, Fayard, 2008.

Desmarais. Louise. « Avortons-nous trop », *La Vie en rose*, hors-série, 2005.

Duru Bellat, Marie. « École de garçons, école de filles... », *Diversité : Ville-école-intégration*, nº 138, septembre 2004.

Ehrenreich, Barbara. *L'Amérique pauvre*, coll. Fait et cause, Grasset/10-18, 2005.

Elkouri, Rima. « Femmes violentées : le début de l'espoir », L*a Presse*, 1er novembre 2008.

Elle, nº 3247, mars 2008.

Émond, Ariane. « Ceci n'est pas qu'une pipe! », *Le Devoir*, 8 mars 2008.

En Ville, nº 13, 6 février 2006.

Falconnet, Georges et Lefaucheur, Nadine. *La fabrication des mâles*, Paris, Seuil/Actuels, 1975.

Faure, Isabelle. « Polémique autour de bébés cobayes en Inde », *Le Figaro*, 25 août 2008

Falkehed, Magnus. *Le modèle suédois*, coll. Petite bibliothèque Payot, Lausanne, Payot, 2003.

Fayner, Elsa. *Violences, féminin pluriel*, Paris, Librio, 2006.

Ferry, Luc. « Les sociétés laïques ne peuvent faire l'économie du sacré », *Nouvelles clés*, nº 58, « 20 ans d'entretiens visionnaire pour donner du sens à la vie », été 2008.

Filion, Nicole. « La suprématie du droit à l'égalité des femmes : une solution », *Le Devoir*, 30 octobre 2007.

Fleury, Claire. « La gynéco en danger », *Le Nouvel Observateur*, nº 2291, 2 au 8 octobre 2008.

Foucault, Michel. *Histoire de la sexualité*, Paris, NRF Gallimard, 1984.

Frederick, Jim. « Le Japon qui dit non », *Time*, 19 juin 2006.

French, Marilyn. *Toilettes pour femmes*, Paris, Robert Laffont, 1978.

French, Marilyn. *Les bons sentiments*, Paris, Acropole, 1980.

French Marilyn. *The War Against Women*, New York, Ballantine Books, 1993.

Gagnon, Lysiane. « La parité, un symbole creux », *La Presse*, 19 décembre 2008.

GALBRAITH, JOHN KENNETH. *La république des satisfaits*, Paris, Seuil, 1993.

GALBRAITH, JOHN KENNETH. *Les mensonges de l'économie*, Paris, Grasset, 2004.

GARCIA-MORENO, CLAUDIA, HENRICA JANSEN, A. F. M., MARY ELLSBERG, LORI HEISE, et CHARLOTTE H. WATTS. « Intimate Partner Violence and Women's Physical and Mental Health in the WHO Multi-Country Study on Women's Health and Domestic Violence : an Observational Study », *The Lancet*, vol. 371, nº 9619, 5 avril 2008.

GARCIA-MORENO, CLAUDIA, JANSEN, HENRICA A. F. M., ELLSBERG, MARY, HEISE, LORI, WATTS, CHARLOTTE H. « Prevalence of Intimate Partner Violence : Findings from the WHO Multi-Country Study on Women's Health and Domestic Violence », *The Lancet*, vol. 368, nº 9543, 7 octobre 2006.

GEADAH, YOLANDE. *La prostitution, un métier comme un autre ?* Montréal, VLB éditeur, 2003.

GÉLIE, PHILIPPE. « USA : accusés de harcèlement sexuel en maternelle. Le Figaro, 7 avril 2008 », *Le Figaro*, 7 avril 2008.

GIRAUDOUX, JEAN. *Sodome et Gomorrhe*, Paris, Bernard Grasset, 1943.

GREENGLASS, ESTHER R. *A World of Difference : Gender Roles in Pespective*, Toronto, John Wiley and Sons, 1982.

GROULT, BENOÎTE. *Mon évasion*, Paris, Grasset, 2008.

HALIMI, GISÈLE. *CHOISIR la cause des femmes – La clause de l'Européenne la plus favorisée*, Paris, Éditions des Femmes, 2008.

HIRIGOYEN, MARIE-FRANCE. *Le harcèlement moral. La violence perverse au quotidien*, coll. Pocket, Paris, Pocket, 1998.

HIVERT, ANNE-FRANÇOISE. « Commando de seins dans les piscines suédoises », *Libération*, 22 novembre 2007.

INCHAUSPÉ, IRÈNE. « Le calvaire des femmes battues. », *Le Point*, 8 août 2003.

JACOB, ANTOINE. « Les entreprises se féminisent sous la menace », *Le Figaro*, 26 décembre 2007.

JACQUARD, ALBERT. *Construire une civilisation terrienne*, Montréal, Fides, 1994.

JACQUARD, ALBERT. *L'explosion démographique*, Paris, Flammarion, 1993, p. 99.

KELTOSOVA, OLGA. *Rapport à l'Assemblée parlementaire sur les violences domestiques*, Conseil de l'Europe, Strasbourg, septembre 2002.

KRUG, ÉTIENNE G., LINDA DAHLBERG, L. MERCY, A. JAMES, ANTHONY ZWI et LOZANO ASCENCIO, RAFAEL. *Rapport mondial sur la violence et la santé*, OMS, Genève, 2002.

LACOURSIÈRE, JACQUES, JEAN PROVENCHER et DENIS VAUGEOIS. *Québécoises deboutte!* Tome I, Une anthologie de textes du Front de libération des femmes (1969-1971) et du Centre des femmes (1972-1975), Montréal, Éditions du remue-ménage, 1982.

LAMBERT-CHAN, MARIE. « Condition féminine Canada – La guerre, yes madam! », *Le Devoir*, 3-4 mars 2007.

La Presse, 1er février 2007.

La Presse, 14 juillet 2007.

La Presse, 13 septembre 2008.

LAROCHELLE, RENÉE. « Bons baisers de Chine », *Au fil des événements*, 28 août 2008.

LAVOIE, FRANCINE. *La Presse*, 6 mai 2008, p. A16.

LAPASSADE, GEORGES. *L'entrée dans la vie*, coll. Anthropos Exploration Interculturelle, Paris, Economica, 1997.

Le Devoir, 8-9 décembre 2007.

LEFEBVRE, ALAIN et DOMINIQUE MÉDA. « Performances nordiques et flexicurité : quelles relations ? », *Travail et Emploi*, nº 113, janvier-mars 2008.

LEMOINE, DOMINIQUE. « Équité salariale : un syndicat de la SAQ paiera de sa poche », *Les Affaires*, 5 mars 2008.

Le Parisien, économie, 30 juin 2008.

Le Point, 8 août 2003.

LE QUENTREC, YANNICK et ANNIE RIEU. *Femmes : Engagements publics et vie privée*, Paris, Éditions Syllepse, 2003.

LESSARD, DENIS. « L'hypersexualisation des médias : lourde de conséquences », *La Presse*, 9 juin 2008.

LUCAS, VIOLAINE et BARBARA VILAIN. « Le meilleur de l'Europe pour les femmes », *Le Monde diplomatique*, nº 650, mai 2008.

MACLEOD, LINDA. *Pour de vraies amours – Prévenir la violence conjugale*, Conseil Consultatif Canadien. 1987.

Marie-Claire, nº 668, avril 2008.

MCGOWAN, KATHLEEN. « Typically Twisted », Psychology Today, juillet-août 2008.

MÉDA, DOMINIQUE. *Le temps des femmes : pour un nouveau partage des rôles* (édition révisée), Paris, Flammarion, Champs actuel, 2008.

MÉDA, DOMINIQUE et HÉLÈNE PÉRIVIER. *Le deuxième âge de l'émancipation*, Paris, Seuil, 2007.

MILES, BRYAN. *Le Devoir*, 31 décembre 2007.

MILL, JOHN STUART. *On Liberty and Other Writings*, Cambridge University Press, 1859.

MILLET, KATE. *La politique du mâle*, Paris, Stock, 1971.

MINC, ALAIN. *La machine égalitaire*, Paris, Livre de poche, 1987.

MOISAN, LISE. « Femmes, à vos tableaux! », *La Vie en rose*, hors-série, 2005.

MOLINIER, PASCALE. *L'énigme de la femme active*, coll. Petite bibliothèque Payot, Lausanne, Payot, 2006.

MONOD, THÉODORE. « Itinéraire d'un apprenti chrétien », *Nouvelles clés*, nº 58, « 20 ans d'entretiens visionnaire pour donner du sens à la vie », été 2008.

MUCHEMBLED, ROBERT. *Une histoire de la violence*, Paris, Seuil, 2008.

O'LEARY, VÉRONIQUE et LOUISE TOUPIN. *Québécoises deboutte!* coll. De mémoire de femmes, Montréal, Éditions du Remue-ménage, 1982.

ONFRAY, MICHEL. *Le souci des plaisirs*, Paris, Flammarion, 2008.

Paris Match, nº 840, 1er mai 1965.

PICHER, CLAUDE. *La Presse*, 13 septembre 2008.

PIOTON, FRÉDÉRIC. *À quoi rêves les femmes... et ce qu'en pense leur homme*, Paris, Marabout, 2005.

PIOTTE, JEAN-MARC. *Les grands penseurs du monde occidental*, Montréal, Fidès, 1999.

PISIER, ÉVELYNE et SARA BRIMO. *Le droit des femmes*, Paris, Dalloz, 2007.

RIOUX SOUCY, LOUISE-MAUDE. « Femmes enceintes, femmes négligées », *Le Devoir*, 8-9 décembre 2007.

ROUSSEAU, JEAN-JACQUES. *Discours sur l'origine et les fondements de l'inégalité parmi les hommes*, Amsterdam, Marc Michel Rey, 1755.

ROYAL, SÉGOLÈNE. *Ma plus belle histoire, c'est vous*, Paris, Grasset et Fasquelle, 2007.

RUSSIANOFF, PENELOPE. *Why Do I Think I Am Nothing Without a Man?* New York, Bantam Books, 1981.

SALOMON, PAULE. « Le nouveau couple est androgyne », *Nouvelles clés*, nº 58, « 20 ans d'entretiens visionnaire pour donner du sens à la vie », été 2008.

SARRASIN, HÉLÈNE et PAULE BELLEAU. « Capital amoureux », *Gazette des femmes*, mai-juin 2008.

SCEMAMA, CORINNE. « Quand je serai grande, je serai commandante », *L'Express international*, nº 2905, 8 au 14 mars 2007.

SCHAËFFNER, YVES. « Norvège : parité bien ordonnée... », *Elle Québec*, 2008.

STERN, KARL. *Le refus de la femme*, Montréal, Éditions Hurtubise HMH, 1968.

STATISKA CENTRALBYRAN. *Sweden in figures 2005*,Éditeur ? 2005.

XUEQIN, CAO. *Le rêve dans le pavillon rouge*, Paris, Gallimard, 1981.

ZIMMERMANN, MARIE-JO. *Effets directs et indirects de la loi du 6 juin 2000 : un bilan contrasté*, Observatoire de la parité entre les femmes et les hommes, mars 2005.

Références Internet :

Primauté de l'égalité entre les femmes et les hommes au Canada :

« L'égalité entre les hommes et les femmes : un principe non négociable », *L'intersyndicale des femmes*, février 2008, en ligne, www.spgq.qc.ca/utilisateur/documents/memoire2008-egalite.pdf

Informations, réseaux en Europe :

« Promouvoir la présence des femmes dans les conseils d'administration et les hauts-lieux de décision », *Action de femmes*, en ligne, www.actiondefemme.fr

« Quelques statistiques sur la violence contre les femmes », *Amnesty international Suisse*, en ligne, http ://www.amnesty.ch/fr/_campagnes/halte-violence/quelques-statistiques-sur-la-violence-contre-les-femmes

Emploi des femmes en Europe :

« 8 mars 2006 : Journée internationale de la femme. Un aperçu statistique de la vie des hommes et des femmes dans l'U25 », Eurostat, 6 mars 2006, en ligne, http ://ec.europa.eu/justice_home/news/information_dossiers/international_womens_day_06/statistics_men_women_fr_06.pdf

Les femmes et la prise de décision en Europe :

« Les femmes et les hommes dans la prise de décision : indicateurs », *Commission européenne : emploi, affaires sociales et égalité des chances*, en ligne, http ://ec.europa.eu/employment_social/women_men_stats/indicators_in5_fr.htm

Informations pour la Finlande :

« Milestones », *Equality*, 19 juin 2008, en ligne, www.tasa-arvo.fi/Resource.phx/tasa-arvo/english/milestones/index.htx

« Le système scolaire finlandais », *Association des parents luttant contre l'abandon et l'échec scolaire*, en ligne, www.echecscolaire.be/finland.html

« Ministry of social affairs and health », *Ministry of social affairs and health*, en ligne, www.stm.fi/Resource.phx/eng/index.htx

« Gender Equality in Finland », Equality, 29 novembre 2006, en ligne, www.tasa-arvo.fi/Resource.phx/tasa-arvo/english/index.htx

Statistiques pour les 25 pays de l'Union européenne :

« 8 mars 2006 : Journée internationale de la femme. Un aperçu statistique de la vie des hommes et des femmes dans l'U25 », Eurostat, 6 mars 2006, en ligne, http ://ec.europa.eu/justice_home/news/information_dossiers/international_womens_day_06/statistics_men_women_fr_06.pdf

Étude documentaire sur la violence familiale : prévention et traitement, nº R-03, 1989 :

Appleford Associates, « Étude documentaire sur la violence familiale : prévention et traitement », *Service correctionnel du Canada*, en ligne, www. www.csc-scc.gc.ca/text/rsrch/reports/r03/r03_f.pdf

Conseil du statut de la femme :

« Conseil du statut de la femme », *Conseil du statut de la femme*, en ligne, www.csf.gouv.qc.ca

« Le sexe dans les médias : obstacle aux rapports égalitaires – Lancement de l'avis du Conseil du statut de la femme », *Conseil du statut de la femme*, 11 juin 2008, en ligne, www.csf.gouv.qc.ca/fr/communiques/ ?F=affiche&id=280

« Réaction du Conseil du statut de la femme au rapport de la commission Bouchard-Taylor : l'égalité entre les femmes et les hommes mise entre parenthèses, vendredi 23 mai 2008. », *Conseil du statut de la femme*, 23 mai 2008, en ligne, www.csf.gouv.qc.ca/fr/communiques/ ?F=affiche&id=277

Fédération des associations des familles monoparentales et recomposées du Québec :

« Fédération des associations des familles monoparentales et recomposées du Québec », *Fédération des associations des familles monoparentales et recomposées du Québec*, en ligne, www.fafmrq.org

Violence :

RAMONET, IGNACIO, « Violences mâles », *Le Monde diplomatique*, juillet 2004, en ligne, www.monde-diplomatique.fr/2004/07/RAMONET/11299

L'état des lieux :

HALIMI, GISÈLE. « Le "complot" féministe », *Le Monde diplomatique*, août 2003, en ligne, www.monde-diplomatique.fr/2003/08/HALIMI/10360

Généralités :

« La citoyenneté politique des femmes : chronologie », *Assemblée nationale*, en ligne, www.assemblee-nationale.fr/histoire/femmes/citoyennete_politique_chronologie.asp

« Séminaire de la campagne pour l'égalité économique des femmes », *Congrès du travail du Canada*, 22 avril 2008, en ligne, http://canadianlabour/en/seminaire-de-la-campagne-pour-l-egalite-des-femmes

« Des employées reprochent à la SAQ de contester la loi sur l'équité salariale », *Argent*, 5 mars 2008, en ligne, http://argent.canoe.com/infos/quebec/archives/2008/03/20080305-174722.html

« 5.4 Taux de grossesse à l'adolescence », *Éco-Santé Québec*, 20 février 2007, en ligne, www.ecosante.fr/QUEBFRA/504000.html

« Droits des femmes, Bilan 2000 : Chiffres clés », *Fraternet.com*, en ligne, http://fraternet.com/femmes/chiffres.htm

« Les philosophes sont-ils misogynes ? », *l'Humanité*, 25 janvier 2001, en ligne, www.humanite.fr/2001-01-25_Cultures_-Les-philosophes-sont-ils-misogynes

« Faux souvenir et fausse mémoire », *FranceFMS.com*, en ligne www.acalpa.org/faux_souvenir_et_fausse_memoire.htm

« Les femmes et les hommes dans la prise de décision : Base de données – domaine politique : Gouvernements nationaux », *Commission européenne : emploi, affaires sociales et égalité des chances*, en ligne, http://ec.europa.eu/employment_social/women_men_stats/out/measures_out416_fr.htm

« Les statistiques en matière d'avortement », *Fédération du Québec pour le planning des naissances*, octobre 2006, en ligne, www.fqpn.qc.ca/contenu/avortement/statistiques.php

« Dobson (Tuteur à l'instance de) c. Dobson, [1999] 2 R.C.S. 753 », *Jugements de la Cour suprême du Canada*, 9 juillet 1999, en ligne, http://csc.lexum.umontreal.ca/fr/1999/1999rcs2-753/1999rcs2-753.html

« Benoît XVI rappelle le sens profond et l'actualité de *Humanae Vitae* », *Zenit*, le monde vu de Rome, 3 octobre 2008, en ligne,

www.zenit.org/article-18967?l=french

« Manque de ressources financières et humaines, poids des traditions identifiées comme obstacle à la parité homme/femme », ONU, *Commission de la condition de la femme*, 4 mars 2003, en ligne, www.unhchr.ch/huricane/huricane.nsf/0/2AF31A4CE8297AABC1256CE0002F24E7?opendocument

Baril, Daniel. « Contrer l'excision sans imposer ses vues », *Forum*, vol. 40, nº 28, 18 avril 2006, en ligne, www.iforum.umontreal.ca/Forum/2005-2006/20060418/R_1.html

Carrier, Micheline, « Y aurait-il des femmes plus aptes à la liberté que d'autres ? Réponse à Françoise David », *Sisyphe.info*, 17 juin 2008, en ligne, http://sisyphe.org/sisypheinfo/spip.php?article169

Collet, Anne, « Les disparités entre hommes et femmes dans le monde vues par Davos », *Courrierinternational.com*, 12 novembre 2007, en ligne, http://femmes.blogs.courrierinternational.com/tag/femme

Daune-Richard, Anne-Marie et Nyberg, Anita. « Entre travail et famille : à propos de l'évolution du modèle suédois », *Revue française des affaires sociales*, nº 4, 2003, en ligne, www.sante.gouv.fr/drees/rfas/rfas200304/200304-art17.pdf

Fugain, Clément. « Les conseils d'administration des sociétés du CAC 40 se féminisent », *Journal des finances*, nº 6293, 27 juin 2008, en ligne, www.capitalcom.fr/photos/equipe/PDFPRESSE_000158_736__BIG.pdf

Henrion, Roger. « Les femmes victimes de violences conjugales, le rôle des professionnels de santé », *Ministère de la Santé*, février 2001, en ligne, www.sante.gouv.fr/htm/actu/violence/

Morissette, Isabelle. « La guerre des sexes – lettre ouverte à Radio-Canada », *Sisyphe.org*, avril 2005, en ligne, http ://sisyphe.org/spip.php ?breve329

Pelletier, Cécile. « Sexualité : les Français sont-ils émancipés – Les mœurs des Français au XXIe siècle », *L'Internaute Magazine*, janvier 2008, en ligne, www.linternaute.com/femmes/famille/magazine/dossier/moeurs-des-francais/sommaire-sexualite.shtml

Reiser, Michèle. « Extraits du rapport sur l'image des femmes dans les médias », *Commission de réflexion sur l'image des femmes dans les médias*, 25 septembre 2008, en ligne, www.lefigaro.fr/assets/pdf/femme.pdf

Remy, Jacqueline. « Liberté, égalité, fraternité : les femmes en France », *euro|topics*, 14 avril 2008, en ligne, www.eurotopics.net/fr/magazin/gesellschaft-verteilerseite/frauen-2008-3/remy_frankreich_frauen

Sauvé, Mathieu-Robert. « Les bébés pauvres devraient tous fréquenter la garderie », *Forum*, Hebdomadaire d'information, 24 septembre 2007, en ligne, http ://nouvelles.umontreal.ca/archives/2007-2008/content/view/413/228/index.html

Schiendorfer, Andreas. « Muhammad Yunus aimerait reléguer la pauvreté au musée », *Credit Suisse Newsletter*, 4 novembre 2008, en ligne, emagazine.credit-suisse.com/app/article/index.cfm ?fuseaction=OpenArticle&aoid=246543&coid=92&lang=FR

Documentaires :

Bissonnette, Sophie. *Sexy Inc., nos enfants sous l'influence*, ONF, 2007.

Émissions de radio :

Les Années lumière, Radio-Canada, Première chaîne, 18 mai 2008.

Les Années lumière, Radio-Canada, Première chaîne, 9 novembre 2008.

Table des matières

Imprimé sur du Rolland Enviro100, contenant 100% de fibres recyclées postconsommation, certifié Éco-Logo, Procédé sans chlore, FSC Recyclé et fabriqué à partir d'énergie biogaz.

La production du titre *Un petit pas pour la femme, un grand pas pour l'humanité* sur du papier Rolland Enviro100 Édition, plutôt que sur du papier vierge, réduit notre empreinte écologique et aide l'environnement des façons suivantes :

Arbres sauvés : 8
Évite la production de déchets solides de 237 kg
Réduit la quantité d'eau utilisée de 22 411 L
Réduit les matières en suspension dans l'eau de 1,5 kg
Réduit les émissions atmosphériques de 520 kg
Réduit la consommation de gaz naturel de 34 m3

Marquis imprimeur inc.

Québec, Canada
2009